Listening mentor joy

Longman
Listening Mentor Joy 2

지은이 교재개발연구소
편집 및 기획 English Nine
발행처 Pearson Education South Asia Pte Ltd.
판매처 inkedu(inkbooks)
전화 02-455-9620(주문 및 고객지원)
팩스 02-455-9619
등록 제13-579호

ISBN 979-11-88228-59-1
잘못된 책은 구입처에서 바꿔 드립니다.

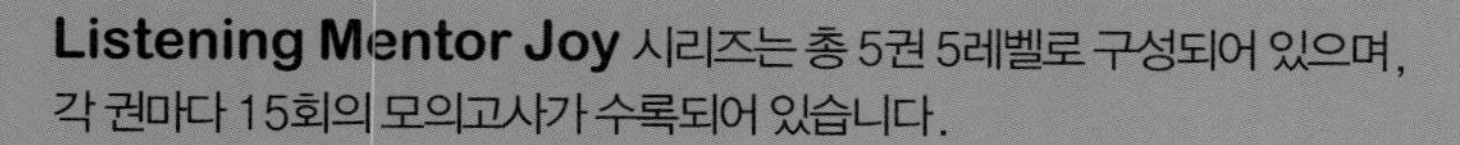

INTRODUCTION

Listening Mentor Joy 시리즈는 총 5권 5레벨로 구성되어 있으며,
각 권마다 15회의 모의고사가 수록되어 있습니다.

단계	대상	활용 방안
	 **초등 3학년**	● 정확한 알파벳 소리를 익힌다. ● 영어 단어의 정확한 발음과 의미를 익힌다. ● 한 문장으로 된 간단한 지시, 명령을 이해한다. ● 간단한 대화의 내용을 이해한다. ● 간단한 질문을 이해하고 대답할 수 있는 능력을 키운다.
	**초등 3-4학년**	● 영어 단어의 정확한 발음과 의미를 익힌다. ● 한 문장으로 된 간단한 지시, 명령을 이해한다. ● 일상생활에 관련된 쉽고 간단한 대화를 듣고 이해한다. ● 수와 시각에 관한 간단한 대화를 듣고 이해한다. ● 간단한 대화를 듣고, 대화가 일어난 장소와 시간 등을 안다.
	**초등 4-5학년**	● 한두 문장으로 된 명령이나 지시를 듣고 이해한다. ● 간단한 대화를 듣고, 대화가 일어난 장소와 시간 등을 안다. ● 일상생활과 관련된 쉽고 간단한 말을 듣고, 중심 낱말을 찾는다. ● 시간과 수량에 관한 대화를 이해하고 대답할 수 있다. ● 두 사람 간의 대화를 통해 내용을 이해할 수 있다. ● 의문사를 이용한 질문을 이해하고 대답할 수 있다.
	**초등 5--6학년**	● 일상생활에 관한 쉽고 간단한 내용을 듣고, 의도나 목적을 이해한다. ● 간단한 대화를 듣고 주제를 이해한다. ● 간단한 말을 듣고 세부 사항을 이해한다. ● 앞으로 일어날 일에 관한 간단한 말을 듣고 이해한다. ● 의문사를 이용한 질문을 이해하고 답할 수 있다. ● 대상을 비교하는 쉬운 말을 듣고 이해한다. ● 간단한 전화 대화를 이해한다.
	**예비중학생**	● 자기소개를 하거나 위치를 묻고 말하는 내용을 이해한다. ● 과거시제를 이용한 대화를 이해한다. ● 대화를 듣고 세부 정보를 파악하거나 화자 간 관계를 추론할 수 있다. ● 대화를 통해 화자의 의도나 목적을 추론할 수 있다. ● 대화를 듣고 화자의 심정이나 태도 추론이 가능하고 관용적인 표현을 이해한다. ● 간단한 전화 대화를 이해할 수 있으며, 좀 더 복잡한 시간과 수를 영어로 이해한다.

CONSTRUCTION

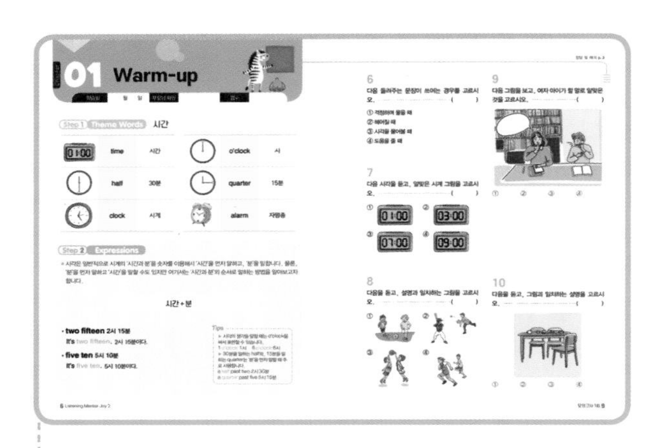

Warm-up

실전 모의고사를 풀기에 앞서 가장 기본이 되는 표현과 어휘를 학습하는 단계입니다.

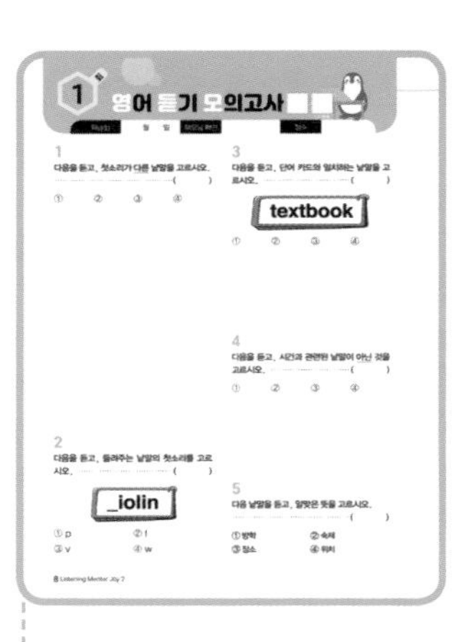

영어 듣기 모의고사

실제 모의고사에 나오는 다양한 문제들을 풀면서 영어 듣기 평가 시험에 대비합니다.

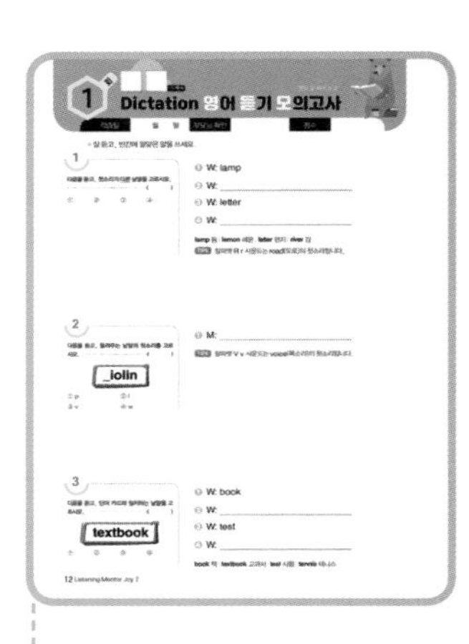

Dictation 영어 듣기 모의고사

모의고사에 나오는 단어와 문장, 표현들을 Dictation을 통해서 확인하고, 듣기 집중력과 청취력을 향상시킵니다.

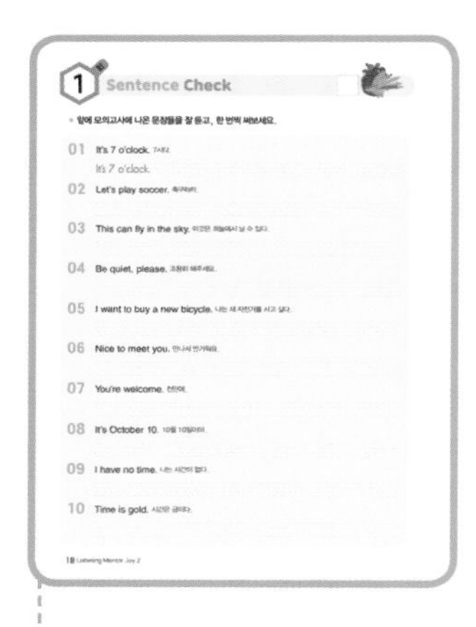

Sentence Check

모의고사에 등장하는 핵심 문장을 듣고 확인합니다.

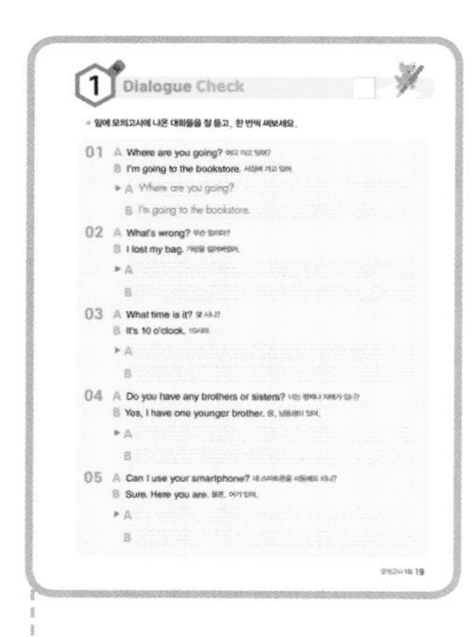

Dialogue Check

모의고사에 등장하는 핵심 대화를 듣고 확인합니다.

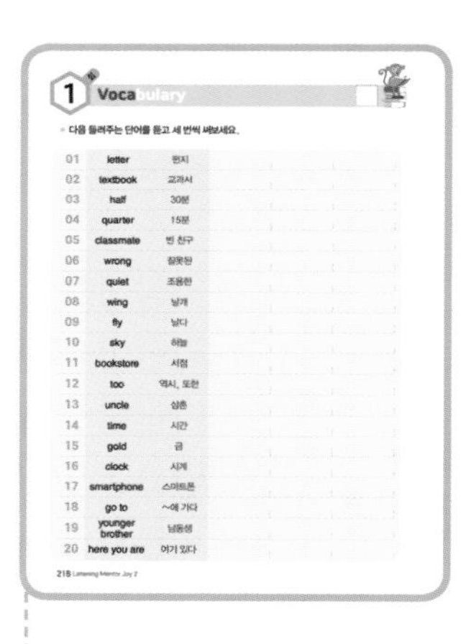

Vocabulary

모의고사 15회에 등장하는 모든 단어들을 회별로 다시 한 번 더 확인합니다.

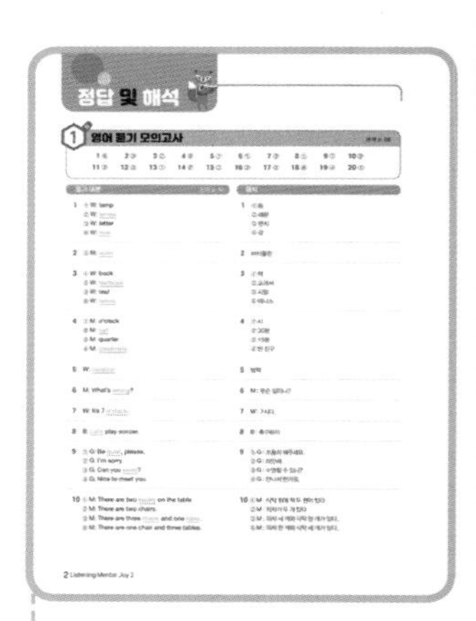

정답 및 해석

모의고사와 Dictation의 답을 확인할 수 있으며, 모의고사에 등장하는 단어와 문장, 대화의 해석을 확인합니다.

CONTENTS

Chapter **01** # Warm-up

학습일 월 일 부모님 확인 점수

Step 1 Theme Words 시간

	time	시간		o'clock	시
	half	30분		quarter	15분
	clock	시계		alarm	자명종

Step 2 Expressions

- 시각은 일반적으로 시계의 '시간과 분'을 숫자를 이용해서 '시간'을 먼저 말하고, '분'을 말합니다. 물론, '분'을 먼저 말하고 '시간'을 말할 수도 있지만 여기서는 '시간과 분'의 순서로 말하는 방법을 알아보고자 합니다.

시간+분

- **two fifteen 2시 15분**

  It's two fifteen. 2시 15분이다.

- **five ten 5시 10분**

  It's five ten. 5시 10분이다.

Tips

▶ 시각의 정각을 말할 때는 o'clock을 써서 표현할 수 있습니다.
1 o'clock 1시 6 o'clock 6시
▶ 30분을 말하는 half와, 15분을 말하는 quarter는 '분'을 먼저 말할 때 주로 사용합니다.
a half past two 2시 30분
a quarter past five 5시 15분

Step 3 Dialogues

● 시각을 물을 때는 의문사 What을 사용해서 What time is it?(지금 몇 시야?)으로 물을 수 있습니다. 이때 시각은 비인칭주어 it을 사용해서 대답합니다.

Ⓐ **What time is it?** 몇 시야?

Ⓑ It is 10 **o'clock.** 10시야.

Practice

● 앞에서 배운 '시간과 분' 순서로 대답해 보세요.

It is **three twenty.** 3시 20분이야.

It is **seven five.** 7시 5분이야.

Word Preview

● 문제에 등장하는 단어들을 듣고, 미리 한 번씩 써보세요.

01	lamp	등	
03	river	강	
05	half	30분	
07	vacation	방학, 휴가	
09	quiet	조용한	
11	wing	날개	
13	sky	하늘	
15	bookstore	서점	
17	uncle	삼촌	
19	gold	금	

02	letter	편지	
04	textbook	교과서	
06	quarter	15분	
08	wrong	잘못된	
10	sorry	미안한	
12	fly	날다	
14	color	색	
16	too	역시, 또한	
18	time	시간	
20	clock	시계	

1회 영어 듣기 모의고사

학습일 월 일 부모님 확인 점수

1

다음을 듣고, 첫소리가 다른 낱말을 고르시오. ( )

① ② ③ ④

2

다음을 듣고, 들려주는 낱말의 첫소리를 고르시오. ( )

① p ② f
③ v ④ w

3

다음을 듣고, 단어 카드와 일치하는 낱말을 고르시오. ( )

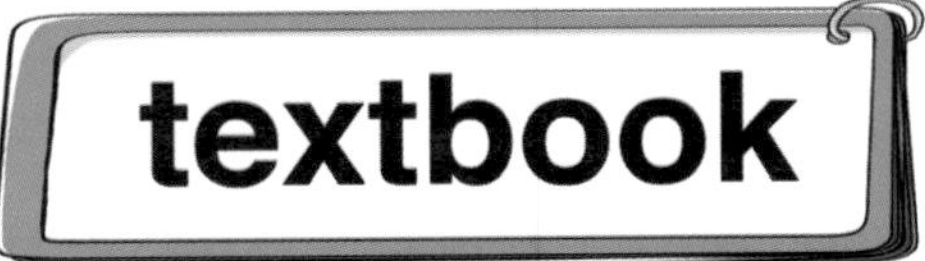

① ② ③ ④

4

다음을 듣고, 시간과 관련된 낱말이 아닌 것을 고르시오. ( )

① ② ③ ④

5

다음 낱말을 듣고, 알맞은 뜻을 고르시오. ( )

① 방학 ② 숙제
③ 장소 ④ 위치

6

다음 들려주는 문장이 쓰이는 경우를 고르시오. .... (   )

① 걱정하며 물을 때
② 헤어질 때
③ 시각을 물어볼 때
④ 도움을 줄 때

7

다음 시각을 듣고, 알맞은 시계 그림을 고르시오. .... (   )

① 

② 

③ 

④ 

8

다음을 듣고, 설명과 일치하는 그림을 고르시오. .... (   )

① 

② 

③ 

④ 

9

다음 그림을 보고, 여자 아이가 할 말로 알맞은 것을 고르시오. .... (   )

①　　②　　③　　④

10

다음을 듣고, 그림과 일치하는 설명을 고르시오. .... (   )

①　　② 　　③ 　　④ 

11

다음을 듣고, 무엇에 대해 설명하고 있는지 고르시오. ································ (　　　　)

①

②
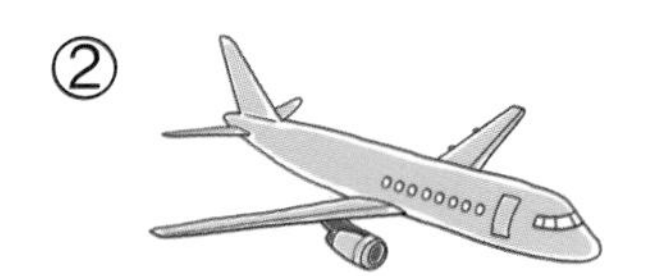
③

④
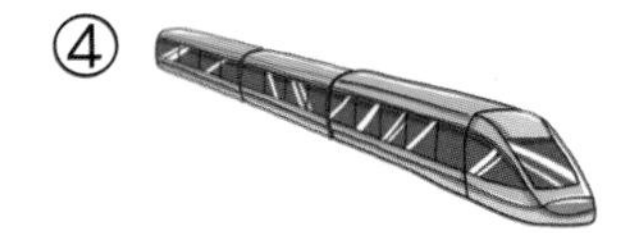

12

다음을 듣고, 아이가 사고 싶어 하는 것을 고르시오. ···································· (　　　　)

① 컴퓨터　② 공책
③ 자전거　④ 축구화

13

다음 대화를 듣고, 남자 아이의 물건을 고르시오. ·· (　　　　)

①

②

③

④

14

다음 대화를 듣고, 여자 아이가 가는 곳을 고르시오. ····································· (　　　　)

① 도서관　② 서점
③ 학교　④ 은행

15

다음 대화를 듣고, 두 사람이 무엇에 대해 말하고 있는지 고르시오. ················· (　　　　)

① 숙제　② 생일
③ 수업　④ 취미

16

다음 그림을 보고, 그림과 일치하는 대화를 고르시오. .... (　　　)

① ② ③ ④

17

다음을 듣고, 이어질 말로 적절하지 않은 것을 고르시오. .... (　　　)

M ______________________________

① ② ③ ④

18

다음을 듣고, 이어질 말로 알맞은 것을 고르시오. .... (　　　)

W ______________________________

① ② ③ ④

19

다음을 듣고, 이어질 말로 알맞은 것을 고르시오. .... (　　　)

M ______________________________

① No, but I have a pencil.
② Yes, I can.
③ No, she is my mom.
④ Yes, I have one younger brother.

20

다음을 듣고, 이어질 말로 알맞은 것을 고르시오. .... (　　　)

W ______________________________

① Sure. Here you are.
② Look at the sky.
③ Yes, I can swim.
④ No, I can't dance.

1회 Dictation 영어 듣기 모의고사

빠른 속도

정답 및 해석 p. 2

학습일 월 일 | 부모님 확인 | 점수

● 잘 듣고, 빈칸에 알맞은 말을 쓰세요.

1

다음을 듣고, 첫소리가 다른 낱말을 고르시오. ( )

① ② ③ ④

❶ W: lamp

❷ W: ____________________

❸ W: letter

❹ W: ____________________

lamp 등 | lemon 레몬 | letter 편지 | river 강

TIPS 알파벳 R r 사운드는 road(도로)의 첫소리입니다.

2

다음을 듣고, 들려주는 낱말의 첫소리를 고르시오. ( )

① p ② f

③ v ④ w

M: ____________________

TIPS 알파벳 V v 사운드는 voice(목소리)의 첫소리입니다.

3

다음을 듣고, 단어 카드와 일치하는 낱말을 고르시오. ( )

① ② ③ ④

❶ W: book

❷ W: ____________________

❸ W: test

❹ W: ____________________

book 책 | textbook 교과서 | test 시험 | tennis 테니스

4

다음을 듣고, 시간과 관련된 낱말이 아닌 것을 고르시오. ························( )

① ② ③ ④

❶ M: o'clock

❷ M: ____________________

❸ M: quarter

❹ M: ____________________

o'clock 시 | half 30분 | quarter 15분 | classmate 반 친구

TIPS classmate는 '반 친구'란 의미로, 학교와 관련된 단어입니다.

5

다음 낱말을 듣고, 알맞은 뜻을 고르시오. ························( )

① 방학 ② 숙제
③ 장소 ④ 위치

W: ____________________

vacation 방학, 휴가

6

다음 들려주는 문장이 쓰이는 경우를 고르시오. ························( )

① 걱정하며 물을 때
② 헤어질 때
③ 시각을 물어볼 때
④ 도움을 줄 때

M: What's ____________________?

what 무엇 | wrong 잘못된

TIPS What's wrong?(무슨 일이니?)은 걱정하며 물을 때 사용하는 표현입니다. 시각을 물어볼 때는 What time is it?(몇 시야?)이라고 묻습니다.

7

다음 시각을 듣고, 알맞은 시계 그림을 고르시오. ························( )

① 01:00 ② 03:00
③ 07:00 ④ 09:00

W: It's 7 ____________________.

o'clock 시

TIPS o'clock은 '~시'라는 의미로 시간을 나타내는 숫자 뒤에 사용합니다.

8

다음을 듣고, 설명과 일치하는 그림을 고르시오. .... (   )

① ② ③ ④

B: ____________________ play soccer.

play soccer 축구하다

TIPS Let's는 Let us의 줄임말로 무엇을 같이 하자고 권할 때 사용하는 표현입니다. Let's 다음에는 동사원형이 와야 합니다.

9

다음 그림을 보고, 여자 아이가 할 말로 알맞은 것을 고르시오. .... (   )

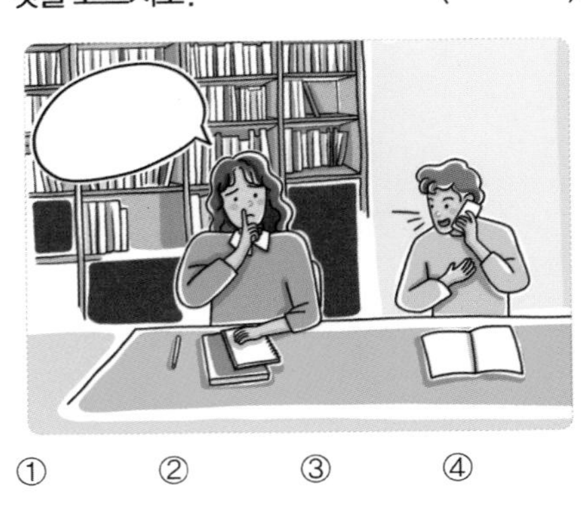

① ② ③ ④

❶ G: Be ____________________, please.

❷ G: I'm sorry.

❸ G: Can you ____________________?

❹ G: Nice to meet you.

quiet 조용한 | sorry 미안한 | swim 수영하다 | meet 만나다

TIPS 도서관에서 핸드폰 통화하는 남자 아이한테 할 수 있는 표현을 고르세요.

10

다음을 듣고, 그림과 일치하는 설명을 고르시오. .... (   )

① ② ③ ④

❶ M: There are two ____________________ on the table.

❷ M: There are two chairs.

❸ M: There are three ____________________ and one ____________________.

❹ M: There are one chair and three tables.

book 책 | table 식탁 | chair 의자

TIPS There is/are는 '무엇이 있다'라는 표현으로, 단수에는 is를, 복수에는 are를 사용합니다.

11

다음을 듣고, 무엇에 대해 설명하고 있는지 고르시오. ( )

① ② ③ ④

W: This has ______________________.
This can ______________________ in the sky.

wing 날개 | fly 날다 | sky 하늘

TIPS 날개가 있으면서 하늘에서 날 수 있는 것을 고르세요.

12

다음을 듣고, 아이가 사고 싶어 하는 것을 고르시오. ( )

① 컴퓨터 ② 공책
③ 자전거 ④ 축구화

B: I want to buy a ______________________
______________________.

want 원하다 | buy 사다 | bicycle 자전거

TIPS want는 '~을 원하다'라는 동사로 뒤에는 원하는 목적이 나옵니다. 또한 bicycle은 흔히 bike라고도 부릅니다.

13

다음 대화를 듣고, 남자 아이의 물건을 고르시오. ( )

① ② ③ ④

B: I have a bag.
G: What ______________________ is it?
B: It's ______________________.

bag 가방 | color 색 | green 초록색

TIPS What color ~?는 색을 물을 때 쓰는 표현입니다.

14

다음 대화를 듣고, 여자 아이가 가는 곳을 고르시오. ( )

① 도서관 ② 서점
③ 학교 ④ 은행

B: ______________________ are you going?
G: I am going to the ______________________.

where 어디 | go to ~에 가다 | bookstore 서점

TIPS 의문사 Where는 장소를 물을 때 사용하며, 이때 대답은 장소를 이용해서 답합니다.

15

다음 대화를 듣고, 두 사람이 무엇에 대해 말하고 있는지 고르시오. ·················· (　　　)

① 숙제　② 생일
③ 수업　④ 취미

M: When is your ________________?

W: It's ________________ 10.

when 언제 | birthday 생일 | October 10월

TIPS
- 의문사 When은 때를 물을 때 사용합니다.
- 달을 쓸 때는 첫 글자를 대문자로 써야 합니다.

January 1월	February 2월	March 3월
April 4월	May 5월	June 6월
July 7월	August 8월	September 9월
October 10월	November 11월	December 12월

- October 10이라고 쓰지만 말할 때에는 October 10th라고 서수로 말합니다.

16

다음 그림을 보고, 그림과 일치하는 대화를 고르시오. ································ (　　　)

①　②　③　④

① W: I want some milk.
M: Okay.

② W: Nice to ________________ you.
M: Nice to meet you, ________________.

③ W: What's wrong?
M: I lost my bag.

④ W: Thank you.
M: You're ________________.

milk 우유 | nice 좋은 | meet 만나다 | too 역시, 또한 | wrong 잘못된 | lost 잃어버리다(lose)의 과거형

TIPS 그림에서 남자와 여자는 서로 악수를 하고 있으므로 처음 만나서 하는 대화가 어울립니다.

17

다음을 듣고, 이어질 말로 적절하지 않은 것을 고르시오. ······························ (　　　)

M ________________________

①　②　③　④

W: ________________ this?

① M: It's a book.

② M: It's my bicycle.

③ M: He is my ________________.

④ M: It's my bag.

what 무엇 | book 책 | bicycle 자전거 | uncle 삼촌 | bag 가방

TIPS 의문사 What은 보통 사물을 물을 때 쓰는 표현으로 대답도 사물로 답하면 됩니다. 사람을 물을 때는 의문사 Who를 사용합니다.

18

다음을 듣고, 이어질 말로 알맞은 것을 고르시오. ······································ (　　　)

W ______________________

① ② ③ ④

M: ______________ ______________ is it?

❶ W: Time is gold.

❷ W: There is a clock on the wall.

❸ W: I have no time.

❹ W: It's 10 ______________.

time 시간 | gold 금 | clock 시계 | o'clock 시

TIPS 시간과 관련된 단어로는 time(시간), o'clock(시), half(30분), quarter(15분) 등이 있습니다.

19

다음을 듣고, 이어질 말로 알맞은 것을 고르시오. ······································ (　　　)

M ______________________

① No, but I have a pencil.
② Yes, I can.
③ No, she is my mom.
④ Yes, I have one younger brother.

W: Do you have any ______________ or ______________?

M: ______________________________

any 어떤, 누군가 | brother 형제 | pencil 연필 | younger brother 남동생

TIPS
• Do 의문문에 대한 대답은 Yes/No로 해야 합니다.
• 가족을 나타내는 명사에 younger(더 어린), older(더 나이 든)를 붙여서 복합명사를 나타낼 수 있습니다.

older brother 형	older sister 누나
younger brother 남동생	younger sister 여동생

20

다음을 듣고, 이어질 말로 알맞은 것을 고르시오. ······································ (　　　)

W ______________________

① Sure. Here you are.
② Look at the sky.
③ Yes, I can swim.
④ No, I can't dance.

M: ______________ ______________ use your smartphone?

W: ______________________________

use 사용하다 | smartphone 스마트폰 | here you are 여기 있다 | sky 하늘 | dance 춤추다

TIPS Can I ~?로 묻는 의문문은 주로 허락을 구할 때 사용합니다.

1회

Sentence Check

● 앞에 모의고사에 나온 문장들을 잘 듣고, 한 번씩 써보세요.

01 It's 7 o'clock. 7시다.

It's 7 o'clock.

02 Let's play soccer. 축구하자.

03 This can fly in the sky. 이것은 하늘에서 날 수 있다.

04 Be quiet, please. 조용히 해주세요.

05 I want to buy a new bicycle. 나는 새 자전거를 사고 싶다.

06 Nice to meet you. 만나서 반가워요.

07 You're welcome. 천만에.

08 It's October 10. 10월 10일이야.

09 I have no time. 나는 시간이 없다.

10 Time is gold. 시간은 금이다.

1회 Dialogue Check

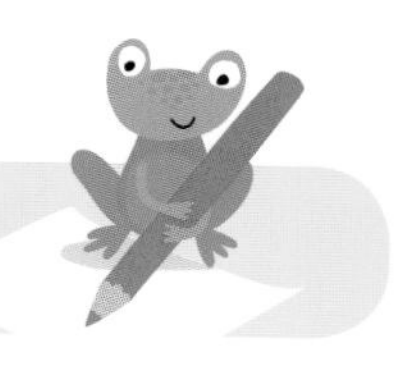

● 앞에 모의고사에 나온 대화들을 잘 듣고, 한 번씩 써보세요.

01 **A** Where are you going? 어디 가고 있어?
B I'm going to the bookstore. 서점에 가고 있어.

▶ **A** Where are you going?

B I'm going to the bookstore.

02 **A** What's wrong? 무슨 일이야?
B I lost my bag. 가방을 잃어버렸어.

▶ **A**

B

03 **A** What time is it? 몇 시니?
B It's 10 o'clock. 10시야.

▶ **A**

B

04 **A** Do you have any brothers or sisters? 너는 형제나 자매가 있니?
B Yes, I have one younger brother. 응, 남동생이 있어.

▶ **A**

B

05 **A** Can I use your smartphone? 네 스마트폰을 사용해도 되니?
B Sure. Here you are. 물론. 여기 있어.

▶ **A**

B

Chapter 02 Warm-up

학습일 월 일 부모님 확인 점수

Step 1 Theme Words 직업 I

	farmer	농부		nurse	간호사
	actor	배우		movie director	영화감독
	artist	화가, 예술가		writer	작가

Step 2 Expressions

- 직업을 나타내는 명사는 보통 be동사 다음에 와서 주어를 보충 설명하는 역할을 합니다. 물론 명사 앞에는 관사(a/an)가 오고, '주어가 이런 직업을 가진 사람이다'라는 의미입니다.

be동사 + 직업을 나타내는 명사

- **be동사 + a farmer** 농부다

  My father is a farmer. 내 아버지는 농부다.

- **be동사 + an actor** 배우다

  My uncle is an actor. 나의 삼촌은 배우다.

Tips

▶ 직업을 나타내는 명사에는 이외에도 다음과 같은 것들이 있습니다.

reporter 리포터 chef 주방장
nurse 간호사 pilot 비행기 조종사
firefighter 소방관 designer 디자이너
soldier 군인

Step 3 Dialogues

● 직업을 물을 때 의문사 What을 사용해서 [What does + 주어 + do?](주어는 무엇을 하니?)라고 물을 수 있습니다. 이때는 간단하게 직업을 나타내는 명사를 이용해 답할 수 있습니다.

A **What does** your mother **do**? 네 어머니는 무슨 일을 하시니?
B She is a **nurse.** 그녀는 간호사야.

Practice

● 앞에서 배운 직업을 나타내는 단어를 이용해서 대답해 보세요.

She is a **chef.** 그녀는 주방장이야.
She is a **writer.** 그녀는 작가야.

Word Preview

● 문제에 등장하는 단어들을 듣고, 미리 한 번씩 써보세요.

01	ring	반지		02	ruler	자	
03	bee	벌		04	beach	해변	
05	actor	배우		06	director	감독	
07	building	건물		08	chef	주방장	
09	light	빛, 불		10	raise	들어 올리다	
11	draw	그리다		12	wall	벽	
13	smell	냄새 맡다		14	future	장래	
15	headache	두통		16	weather	날씨	
17	sunny	맑은, 화창한		18	windy	바람 부는	
19	lunch	점심식사		20	sandwich	샌드위치	

2회 영어 듣기 모의고사

학습일 월 일 부모님 확인 점수

1

다음을 듣고, 첫소리가 다른 낱말을 고르시오. ……………………………………( )

① ② ③ ④

2

다음을 듣고, 들려주는 낱말의 첫소리를 고르시오. ……………………………( )

① m ② o
③ n ④ w

3

다음을 듣고, 단어 카드와 일치하는 낱말을 고르시오. ……………………………( )

① ② ③ ④

4

다음을 듣고, 직업과 관련된 낱말이 아닌 것을 고르시오. ………………………( )

① ② ③ ④

5

다음 낱말을 듣고, 알맞은 뜻을 고르시오. ……………………………………( )

① 경찰서 ② 우체국
③ 식당 ④ 빵집

6

다음 들려주는 문장이 쓰이는 경우를 고르시오. ………………………………… (　　　　)

① 나이를 물을 때

② 직업을 물을 때

③ 시간을 물어볼 때

④ 도움을 줄 때

7

다음을 듣고, 설명과 일치하는 그림을 고르시오. ………………………………… (　　　　)

① 

④ 

8

다음 그림과 같은 행동을 시킬 때 해야 할 표현을 고르시오. ………………………… (　　　　)

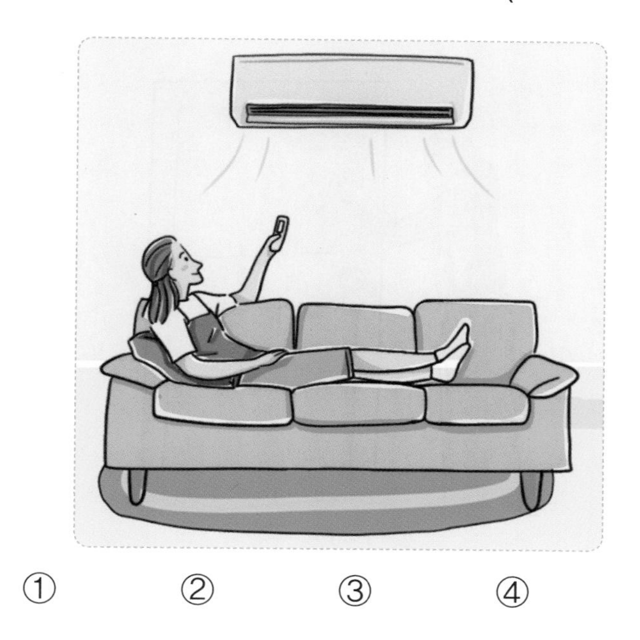

①　　　②　　　③　　　④

9

다음 그림을 보고, 엄마가 할 말로 알맞은 것을 고르시오. ………………………… (　　　　)

①   

10

다음을 듣고, 그림과 일치하는 설명을 고르시오. ………………………………… (　　　)

① ② ③ ④

11

다음을 듣고, 무엇에 대해 설명하고 있는지 고르시오. ……………………………… (　　　)

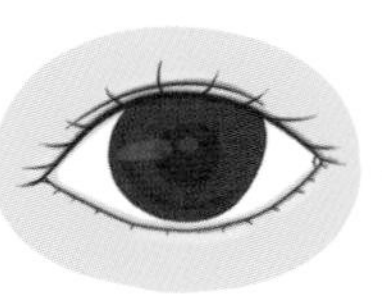
②
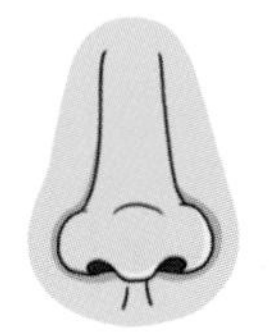
③
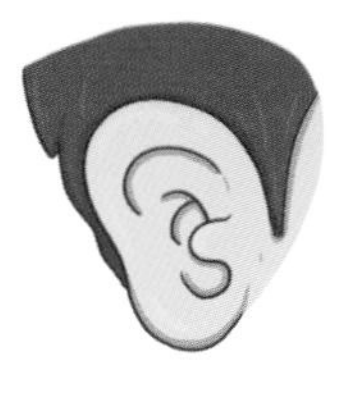
④

12

다음을 듣고, 아이가 장래에 되고 싶은 것을 고르시오. ……………………………… (　　　)

① 영화감독　② 피아니스트
③ 비행기 조종사　④ 주방장

13

다음 대화를 듣고, 남자 아이의 반려동물을 고르시오. ……………………………… (　　　)

②

③

④

14

다음 대화를 듣고, 아이들이 있는 곳을 고르시오. ………………………………… (　　　)

① 박물관　② 동물원
③ 놀이공원　④ 은행

15

다음 대화를 듣고, 두 사람이 무엇에 대해 말하고 있는지 고르시오. ·················· (　　　)

① 좋아하는 과목　② 장래 희망
③ 연주할 수 있는 악기　④ 좋아하는 운동

16

다음 그림을 보고, 그림과 일치하는 대화를 고르시오. ································ (　　　)

①　②　③　④

17

다음을 듣고, 이어질 말로 적절하지 않은 것을 고르시오. ···························· (　　　)

M ______________________________

①　②　③　④

18

다음을 듣고, 이어질 말로 알맞은 것을 고르시오. ······································· (　　　)

W ______________________________

①　②　③　④

19

다음을 듣고, 이어질 말로 알맞은 것을 고르시오. ······································· (　　　)

M ______________________________

① He is very tall.
② He is a bus driver.
③ He is my father.
④ Yes, I have a brother.

20

다음 대화를 듣고, 이어질 말로 알맞은 것을 고르시오. ································ (　　　)

M ______________________________

① Yes, I'm hungry.
② Then, let's go to the food court.
③ No, I'm not hungry.
④ Let's go to the library.

2회

보통 속도 빠른 속도

정답 및 해석 p. 4

Dictation 영어 듣기 모의고사

학습일 월 일 부모님 확인 점수

● 잘 듣고, 빈칸에 알맞은 말을 쓰세요.

1

다음을 듣고, 첫소리가 다른 낱말을 고르시오. ( )

① ② ③ ④

❶ W: rabbit

❷ W: ______________________

❸ W: ______________________

❹ W: ruler

rabbit 토끼 | ring 반지 | name 이름 | ruler 자

TIPS 알파벳 N n 사운드는 nice(멋진)의 첫소리입니다.

2

다음을 듣고, 들려주는 낱말의 첫소리를 고르시오. ( )

_onkey

① m ② o
③ n ④ w

M: ______________________

monkey 원숭이

TIPS 알파벳 M m 사운드는 man(남자)의 첫소리입니다.

3

다음을 듣고, 단어 카드와 일치하는 낱말을 고르시오. ( )

beach

① ② ③ ④

❶ W: bee

❷ W: ______________________

❸ W: park

❹ W: ______________________

bee 벌 | bookstore 서점 | park 공원 | beach 해변, 바닷가

4

다음을 듣고, 직업과 관련된 낱말이 아닌 것을 고르시오. .... (   )

① ② ③ ④

❶ M: nurse

❷ M: ____________________

❸ M: movie director

❹ M: ____________________

nurse 간호사 | actor 배우 | director 감독 | building 건물

TIPS
• building은 '건물'이란 의미로 사물과 관련된 단어입니다.
• 직업을 나타내는 명사에는 이외에도 reporter(리포터), chef (주방장), pilot(비행기 조종사), firefighter(소방관) 등이 있습니다.

5

다음 낱말을 듣고, 알맞은 뜻을 고르시오. .... (   )

① 경찰서 ② 우체국
③ 식당 ④ 빵집

W: post ____________________

post office 우체국

6

다음 들려주는 문장이 쓰이는 경우를 고르시오. .... (   )

① 나이를 물을 때
② 직업을 물을 때
③ 시간을 물어볼 때
④ 도움을 줄 때

M: ____________ ____________ are you?

old 나이 든

TIPS How old ~?는 나이를 물을 때 사용하는 표현입니다. 대답은 일반적으로 [숫자 + years old] 표현을 이용해서 답합니다.
A: How old are you? 너는 몇 살이니?
B: I'm twelve years old. 나는 12살이야.

7

다음을 듣고, 설명과 일치하는 그림을 고르시오. .... (   )

① ②
③ ④

W: He is a ____________________.

chef 주방장

TIPS be동사 다음에 직업을 나타내는 명사가 오는 형태로 '주어가 이런 직업을 가진 사람이다'라는 의미입니다.

8

다음 그림과 같은 행동을 시킬 때 해야 할 표현을 고르시오. .... (   )

① ② ③ ④

❶ M: Turn off the light.

❷ M: Turn on the light.

❸ M: ________ ________ the television.

❹ M: ________ ________ the air conditioner.

turn off (불 등을) 끄다 | light 불 | turn on (불 등을) 켜다 | television 텔레비전 | air conditioner 에어컨

TIPS turn on은 '(불 등을) 켜다'이고, turn off는 '(불 등을) 끄다'라는 의미입니다. 유사한 표현으로는 get on(탈것에 타다)과 get off(버스 등에서 내리다)가 있습니다.

9

다음 그림을 보고, 엄마가 할 말로 알맞은 것을 고르시오. .... (   )

① ② ③ ④

❶ W: Don't ________ on the bed.

❷ W: It's time to get up.

❸ W: Raise your ________.

❹ W: Go to bed.

jump 뛰어오르다 | bed 침대 | get up 일어나다 | raise 들어 올리다 | hand 손 | go to bed 자러 가다

TIPS 상대방에게 행동을 시키는 문장을 명령문이라고 합니다. 부정명령문은 '~하지 마라'라는 의미로 일반동사의 동사원형 앞에 Don't를 붙입니다.

10

다음을 듣고, 그림과 일치하는 설명을 고르시오. .... (   )

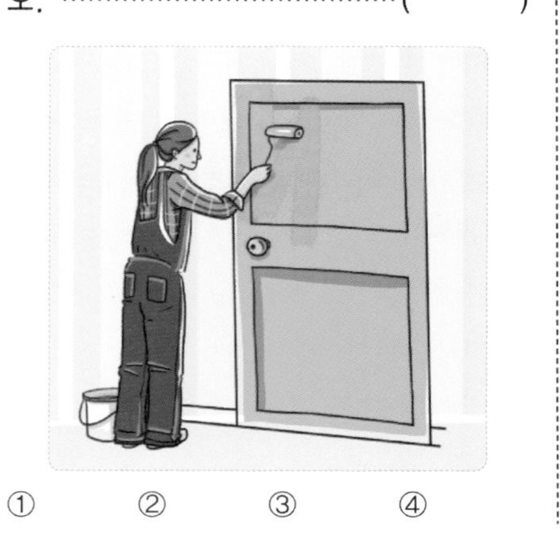

① ② ③ ④

❶ M: The woman is ________ the door.

❷ M: The woman is drinking coffee.

❸ M: The man is ________ a picture.

❹ M: The man is painting the ________.

paint 페인트칠하다 | door 문 | coffee 커피 | draw 그리다 | picture 그림 | wall 벽

TIPS 그림에서 한 여자가 페인트칠을 하고 있습니다. 이처럼 무엇을 하고 있다고 표현할 때는 [be동사+ -ing] 형태로 표현합니다.

11

다음을 듣고, 무엇에 대해 설명하고 있는지 고르시오. .... (　　　)

① ② ③ ④

W: This is on your ______________________.

You ______________________ through this.

face 얼굴 | smell 냄새 맡다 | through ~을 통해

TIPS 얼굴에 있으면서 냄새 맡는 역할을 하는 것을 고르세요.

12

다음을 듣고, 아이가 장래에 되고 싶은 것을 고르시오. .... (　　　)

① 영화감독　② 피아니스트
③ 비행기 조종사　④ 주방장

B: I want to be a ______________________ in the ______________________.

want 원하다 | pilot 비행기 조종사 | future 장래

TIPS want는 '~을 원하다'라는 동사로 뒤에는 원하는 목적이 나옵니다. 여기서는 to be a pilot(비행기 조종사가 되는 것)이 목적입니다.

13

다음 대화를 듣고, 남자 아이의 반려동물을 고르시오. .... (　　　)

① ② ③ ④

G: Do you have a dog?

B: No, but I have ______________________ ______________________.

dog 개 | cat 고양이

TIPS Do를 이용한 의문문에는 Yes/No로 대답해야 합니다.

14

다음 대화를 듣고, 아이들이 있는 곳을 고르시오. .... (　　　)

① 박물관　② 동물원
③ 놀이공원　④ 은행

B: It's my first time at the ______________________.

G: Me, too. Look at those ______________________.

first time 처음, 최초 | museum 박물관 | picture 그림

TIPS it's my first time(처음이다)은 처음으로 하는 경험에 주로 사용하는 표현입니다.

15

다음 대화를 듣고, 두 사람이 무엇에 대해 말하고 있는지 고르시오. ·················· (　　　)

① 좋아하는 과목　② 장래 희망
③ 연주할 수 있는 악기　④ 좋아하는 운동

M: Can you play the guitar?

W: No, but I can ________________

________________ ________________.

play the guitar 기타를 치다 | play the piano 피아노를 치다

TIPS '악기를 연주한다'고 할 때에는 [play the + 악기명] 형태로 쓸 수 있으며, 이때 정관사 the를 꼭 사용해야 합니다.

16

다음 그림을 보고, 그림과 일치하는 대화를 고르시오. ································ (　　　)

① ② ③ ④

① W: I'm hungry.
M: Wash your hands first.

② W: This is for you.
M: Wow, ________________
________________.

③ W: What's wrong?
M: I have a ________________.

④ W: Who is this?
M: He is my ________________.

hungry 배고픈 | wash one's hands 손을 닦다 | wrong 잘못된 | headache 두통 | uncle 삼촌

TIPS 그림에서 여자가 남자한테 선물을 주고 있으므로 '고맙다'고 하는 대화가 어울립니다.

17

다음을 듣고, 이어질 말로 적절하지 않은 것을 고르시오. ································ (　　　)

M ________________

① ② ③ ④

W: How is the ________________ today?

① M: It's rainy.

② M: It's sunny.

③ M: It's windy.

④ M: It's my ________________.

weather 날씨 | today 오늘 | rainy 비가 오는 | sunny 맑은 | windy 바람이 부는 | bicycle 자전거

TIPS 날씨를 묻는 표현에는 How's the weather? 이외에 What's the weather like?로 물을 수도 있습니다.

18

다음을 듣고, 이어질 말로 알맞은 것을 고르시오. ( )

W ______________________

① ② ③ ④

M: What's ______________________
______________________?

❶ W: His name is John.

❷ W: I have a friend.

❸ W: It's my name tag.

❹ W: ____________ ____________ is Susie.

name 이름 | friend 친구 | name tag 이름표

TIPS 의문사 What을 이용해 이름을 묻고 있으므로, 이름을 답해 주어야 합니다.

19

다음을 듣고, 이어질 말로 알맞은 것을 고르시오. ( )

M ______________________

① He is very tall.
② He is a bus driver.
③ He is my father.
④ Yes, I have a brother.

W: ____________ ____________ your father do?

M: ______________________

what 무엇 | do 하다

TIPS What does your father do?는 직업을 물을 때 사용하는 표현입니다. 이때는 간단하게 직업을 나타내는 명사를 이용해 답할 수 있습니다.

20

다음 대화를 듣고, 이어질 말로 알맞은 것을 고르시오. ( )

M ______________________

① Yes, I'm hungry.
② Then, let's go to the food court.
③ No, I'm not hungry.
④ Let's go to the library.

M: What do you want ______________________
______________________?

W: I want some ______________________.

M: ______________________

want 원하다 | lunch 점심(식사) | some 약간 | sandwich 샌드위치

TIPS 점심으로 샌드위치를 먹고 싶다고 하고 있으므로 '푸드코트에 가자'가 이어지는 응답으로 어울립니다.

2 회 Sentence Check

● 앞에 모의고사에 나온 문장들을 잘 듣고, 한 번씩 써보세요.

01 Raise your hand. 손을 들어라.

Raise your hand.

02 Don't jump on the bed. 침대에서 뛰지 마라.

03 He is a chef. 그는 주방장이다.

04 The woman is painting the door. 여자가 문을 페인트칠하고 있다.

05 Turn on the air conditioner. 에어컨을 켜라.

06 It's time to get up. 일어날 시간이다.

07 I want to be a pilot in the future. 나는 장래에 비행기 조종사가 되고 싶다.

08 Wash your hands first. 네 손을 먼저 씻어라.

09 It's my first time at the museum. 박물관은 처음이다.

10 Look at those pictures. 저 그림들을 봐.

● 앞에 모의고사에 나온 대화들을 잘 듣고, 한 번씩 써보세요.

01
A What's wrong? 무슨 일이야?
B I have a headache. 두통이 있어.
▶ A What's wrong?
B I have a headache.

02
A How is the weather today? 오늘 날씨가 어때?
B It's windy. 바람이 불어.
▶ A
B

03
A What's your name? 당신 이름이 뭐예요?
B My name is Susie. 내 이름은 수지예요.
▶ A
B

04
A What does your father do? 네 아버지는 뭐하시니?
B He is a bus driver. 그는 버스운전사야.
▶ A
B

05
A What do you want for lunch? 점심으로 뭐 먹고 싶니?
B I want some sandwiches. 나는 샌드위치가 먹고 싶어.
▶ A
B

Chapter

03 Warm-up

학습일 월 일 부모님 확인 점수

Step 1 Theme Words 집 안 장소

	room	방		living room	거실
	bathroom	화장실		kitchen	부엌
	garage	차고, 창고		yard	마당

Step 2 Expressions

● 일반적으로 '어디에 있다'는 위치를 나타낼 때 전치사 in을 명사 앞에 써서 '(특정 장소) 안에'라고 표현할 수 있습니다. 물론 명사 앞에는 정관사(the)나 소유격을 사용해서 특정 장소 안에 있음을 나타낼 수 있습니다. 쓰임에 따라 전치사 in 이외에 at을 사용할 수 있습니다.

in the + 장소를 나타내는 명사

- **in the room 방에**

  My sister is **in her room**.

  내 누나는 그녀의 방에 있다.

- **in the bathroom 화장실에**

  My brother is **in the bathroom**.

  내 남동생은 화장실에 있다.

Tips

▶ 위치를 나타내는 전치사에는 이외에도 다음과 같은 것들이 있습니다.
on ~ 위에(접촉이 있을 때)
next to ~ 옆에
under ~ 아래에
in front of ~앞에
behind ~ 뒤에

Step 3 Dialogues

● 어디에 있는지 위치를 물을 때 의문사 Where를 사용해서 [Where + 동사 + 주어?](주어는 어디에 있니?)라고 물을 수 있습니다. 이때 간단하게 위치를 나타내는 전치사와 함께 답할 수 있습니다.

A **Where are you?** 너는 어디에 있니?

B I'm **in my room.** 나는 내 방에 있어.

Practice

● 앞에서 배운 집 안 장소들을 이용해서 대답해 보세요.

I'm **in the living room.** 나는 거실에 있어.   I'm **in the yard.** 나는 마당에 있어.

Word Preview

● 문제에 등장하는 단어들을 듣고, 미리 한 번씩 써보세요.

01	window	창문		02	violin	바이올린	
03	nurse	간호사		04	garden	정원	
05	gold	금		06	bathroom	화장실	
07	homework	숙제		08	thirsty	목마른	
09	quiet	조용한		10	math	수학	
11	circle	원		12	congratu-lations	축하해	
13	snow	눈이 오다		14	building	건물	
15	tall	높은		16	favorite	좋아하는	
17	sport	스포츠, 운동		18	volleyball	배구	
19	aunt	고모, 이모		20	idea	생각	

3회 영어 듣기 모의고사

학습일 월 일 부모님 확인 점수

1

다음을 듣고, 첫소리가 다른 낱말을 고르시오. ·············( )

① ② ③ ④

2

다음을 듣고, 들려주는 낱말의 첫소리를 고르시오. ·············( )

① m ② o
③ n ④ w

3

다음을 듣고, 단어 카드와 일치하는 낱말을 고르시오. ·············( )

① ② ③ ④

4

다음을 듣고, 집과 관련된 장소가 아닌 것을 고르시오. ·············( )

① ② ③ ④

5

다음 낱말을 듣고, 알맞은 뜻을 고르시오. ·············( )

① 학교 ② 일
③ 주말 ④ 숙제

6

다음 들려주는 문장이 쓰이는 경우를 고르시오. ·············( )

① 나이를 물을 때
② 직업을 물을 때
③ 시간을 물어볼 때
④ 도움을 줄 때

7

다음을 듣고, 남자 아이의 장래 모습을 고르시오. ·· (　　　　)

①　②　③　④

9

다음 그림을 보고, 여자 아이가 할 말로 알맞은 것을 고르시오. ······························ (　　　　)

①　②　③　④

8

다음 그림과 같은 행동을 시킬 때 해야 할 표현을 고르시오. ······························ (　　　　)

①　②　③　④

10

다음을 듣고, 그림과 일치하는 설명을 고르시오. ·· (　　　　)

①　②　③　④

11

다음을 듣고, 감사할 때 하는 표현을 고르시오. ....( )

① ② ③ ④

12

다음 대화를 듣고, 대화의 상황에 일치하는 그림을 고르시오. ....( )

①

②

③

④

13

다음 대화를 듣고, 두 사람이 보고 있는 것을 고르시오. ....( )

①

②

③

④

14

다음 대화를 듣고, 남자 아이가 있는 장소를 고르시오. ....( )

① 박물관
② 식당
③ 문구점
④ 학교

15

다음 대화를 듣고, 두 사람이 무엇에 대해 말하고 있는지 고르시오. ....( )

① 학교 숙제
② 장래 희망
③ 학교 수업
④ 좋아하는 운동

16

다음 그림을 보고, 그림과 일치하는 대화를 고르시오. ································· (　　　)

① ② ③ ④

17

다음을 듣고, 이어질 말로 적절하지 않은 것을 고르시오. ······························ (　　　)

B ______________________________

① ② ③ ④

18

다음을 듣고, 이어질 말로 알맞은 것을 고르시오. ······································ (　　　)

W ______________________________

① ② ③ ④

19

다음 대화를 듣고, 이어질 말로 알맞은 것을 고르시오. ································· (　　　)

M ______________________________

① Sure. No problem.
② No, I'm busy.
③ Yes, I can wash the dishes.
④ Yes, I have a car.

20

다음 대화를 듣고, 이어질 말로 알맞은 것을 고르시오. ································· (　　　)

W ______________________________

① Yes, I am.
② Then, let's play computer games.
③ She's watching TV.
④ I'm in my room.

3 회 보통 속도 빠른 속도

정답 및 해석 p. 6

Dictation 영어 듣기 모의고사

학습일 월 일 부모님 확인 점수

● 잘 듣고, 빈칸에 알맞은 말을 쓰세요.

1

다음을 듣고, 첫소리가 다른 낱말을 고르시오. ( )

① ② ③ ④

❶ W: watch

❷ W: ________________

❸ W: window

❹ W: ________________

watch 손목시계 | water 물 | window 창문 | violin 바이올린

TIPS 알파벳 V v 사운드는 vase(꽃병)의 첫소리입니다.

2

다음을 듣고, 들려주는 낱말의 첫소리를 고르시오. ( )

_urse

① m ② o
③ n ④ w

M: ________________

nurse 간호사

TIPS 알파벳 N n 사운드는 nose(코)의 첫소리입니다.

3

다음을 듣고, 단어 카드와 일치하는 낱말을 고르시오. ( )

garden

① ② ③ ④

❶ W: ________________

❷ W: gold

❸ W: giraffe

❹ W: ________________

garden 정원 | gold 금 | giraffe 기린 | good 좋은

4

다음을 듣고, 집과 관련된 장소가 아닌 것을 고르시오. ( )

① ② ③ ④

❶ M: room

❷ M: ________________

❸ M: kitchen

❹ M: ________________

room 방 | classroom 교실 | kitchen 부엌 | bathroom 화장실

TIPS classroom은 '교실'로, 집과 관련된 장소가 아닙니다.

5

다음 낱말을 듣고, 알맞은 뜻을 고르시오. .... (   )

① 학교 ② 일
③ 주말 ④ 숙제

W: ______________________________

homework 숙제

6

다음 들려주는 문장이 쓰이는 경우를 고르시오. .... (   )

① 나이를 물을 때
② 직업을 물을 때
③ 시간을 물어볼 때
④ 도움을 줄 때

W: ____________________ ____________________ your father do?

what 무엇 | do 하다

TIPS What does your father do?(너의 아버지는 무슨 일을 하시니?)는 직업을 물을 때 사용하는 표현입니다. 이외에도 What does your father do for a living?(너의 아버지는 생계를 위해서 무슨 일을 하시니?)이라고 물을 수도 있습니다.

7

다음을 듣고, 남자 아이의 장래 모습을 고르시오. .... (   )

① ②
③ ④

B: I want to be a ____________________ ____________________.

want 원하다 | tennis player 테니스 선수

8

다음 그림과 같은 행동을 시킬 때 해야 할 표현을 고르시오. .... (   )

① ② ③ ④

❶ M: Let's take care of the baby.

❷ M: Can you take care of ____________________ ____________________?

❸ M: Can you take care of the dogs?

❹ M: ____________________ ____________________ baseball.

take care of ~을 돌보다 | play baseball 야구하다

TIPS
- Let's는 Let us의 줄임말로 무엇을 같이 하자고 권할 때 사용하는 표현입니다. Let's 다음에는 동사원형이 와야 합니다.
- '~해 주겠니?'라고 상대방에게 부탁할 때 Can을 이용합니다. 좀 더 공손하게 하려면 Could나 Would를 이용합니다.

9

다음 그림을 보고, 여자 아이가 할 말로 알맞은 것을 고르시오. ( )

① ② ③ ④

❶ G: ______________ ______________!

❷ G: I have some water.

❸ G: I'm thirsty.

❹ G: Be ______________.

watch out 조심하다 | water 물 | thirsty 목마른 | quiet 조용한

TIPS 남자 아이가 웅덩이에 빠지려는 순간에 할 수 있는 표현을 고르세요.

10

다음을 듣고, 그림과 일치하는 설명을 고르시오. ( )

① ② ③ ④

❶ B: I am ______________ ______________.

❷ B: I am singing.

❸ B: I am ______________ a circle.

❹ B: I am studying English.

study 공부하다 | math 수학 | sing 노래하다 | draw 그리다 | circle 원 | English 영어

TIPS [be동사 + -ing] 형태는 지금 하고 있는 진행시제를 나타냅니다.

11

다음을 듣고, 감사할 때 하는 표현을 고르시오. ( )

① ② ③ ④

❶ W: Happy ______________.

❷ W: Congratulations.

❸ W: I'm so sorry.

❹ W: ______________ ______________ very much.

birthday 생일 | congratulations 축하해 | sorry 미안한 | very much 무척

TIPS Happy birthday.는 생일을 축하할 때, Congratulations.는 각종 즐거운 일을 축하할 때, I'm so sorry.는 사과할 때 쓸 수 있는 표현입니다.

12

다음 대화를 듣고, 대화의 상황에 일치하는 그림을 고르시오. ························( )

① ② ③ ④

W: Look out the ________________!

M: Oh, it's ________________.

look out 밖을 보다 | window 창문 | snow 눈이 오다

TIPS
- 날씨를 나타내는 동사에는 snow(눈이 오다), rain(비가 내리다) 등이 있고, 날씨를 나타내는 형용사에는 sunny(맑은), cloudy(흐린), rainy(비가 오는), snowy(눈이 오는) 등이 있습니다.
- 여기서 it은 비인칭주어로 날씨를 표현할 때 사용합니다.

13

다음 대화를 듣고, 두 사람이 보고 있는 것을 고르시오. ·····························( )

① ② ③ ④

W: Look at that ________________!

M: Wow, it's very ________________.

look at ~을 보다 | building 건물 | tall 높은

TIPS 동사 look이 들어간 표현으로는 다음과 같은 것들이 있습니다.

look at ~을 보다 look out 밖을 보다
look after ~을 돌보다 look around 둘러보다

14

다음 대화를 듣고, 남자 아이가 있는 장소를 고르시오. ·······························( )

① 박물관 ② 식당
③ 문구점 ④ 학교

W: May I help you?

B: Yes, I'm looking for a ________________ ________________ and ________________.

W: They are over there.

look for ~을 찾다 | pencil case 필통 | pencil 연필 | over there 저쪽에

TIPS pencil case나 pencil을 살 수 있는 곳을 고르세요.

15

다음 대화를 듣고, 두 사람이 무엇에 대해 말하고 있는지 고르시오. ( )

① 학교 숙제 ② 장래 희망
③ 학교 수업 ④ 좋아하는 운동

M: What's your favorite sport?

W: I like ____________________. How about you?

M: I like ____________________.

favorite 좋아하는 | sport 스포츠, 운동 | tennis 테니스 | volleyball 배구

TIPS 대화에서 tennis나 volleyball이 언급된 것으로 보아 운동에 대해 말하고 있다는 것을 알 수 있습니다.

16

다음 그림을 보고, 그림과 일치하는 대화를 고르시오. ( )

① ② ③ ④

❶ W: What's your name?
M: My name is Paul.

❷ W: How are you?
M: I'm fine.

❸ W: What's wrong?
M: I have a ____________________.

❹ W: Who is this?
M: She is my ____________________.

name 이름 | fine 좋은 | wrong 잘못된 | headache 두통 | aunt 고모, 이모

TIPS
- 그림에서 남자가 머리 통증을 느끼고 있는 것으로 보아 무슨 일인지 묻는 대화가 어울립니다.
- 의문사 Who는 사람, What은 사물, When은 시간, Where는 장소, Why는 이유, How는 방법이나 상태를 물을 때 각각 사용합니다.

17

다음을 듣고, 이어질 말로 적절하지 않은 것을 고르시오. ( )

B ____________________

① ② ③ ④

G: ____________________ ____________________ badminton at the park.

❶ B: That's a good idea.

❷ B: Okay.

❸ B: I'd love to, but I can't.

❹ B: ____________________, it is.

let's ~하자 | badminton 배드민턴 | idea 생각

TIPS Let's로 시작하는 제안문에는 긍정일 때는 Sure. / Okay. / That sounds great. 등으로, 부정일 때는 No, let's not. / I'm sorry, but I can't. / I'd like to, but I can't. 등으로 답할 수 있습니다.

18

다음을 듣고, 이어질 말로 알맞은 것을 고르시오. ································( )

W ______________________

① ② ③ ④

M: ______________ ______________ is it?

❶ W: I'm in my room.

❷ W: It's Monday.

❸ W: It's ______________.

❹ W: I like chicken.

color 색 | room 방 | Monday 월요일 | yellow 노란 | chicken 치킨

TIPS What color ~?는 색을 물을 때 쓰는 표현입니다.

19

다음 대화를 듣고, 이어질 말로 알맞은 것을 고르시오. ································( )

M ______________________

① Sure. No problem.
② No, I'm busy.
③ Yes, I can wash the dishes.
④ Yes, I have a car.

W: John, are you ______________?

M: No, not at all.

W: Then, ______________ ______________ help me?

M: ______________________

busy 바쁜 | help 돕다

TIPS '~할 수 있니?'라는 능력이나 가능을 물을 때는 can을 사용해서 의문문을 만들 수 있습니다.

20

다음 대화를 듣고, 이어질 말로 알맞은 것을 고르시오. ································( )

W ______________________

① Yes, I am.
② Then, let's play computer games.
③ She's watching TV.
④ I'm in my room.

M: Where is Sally?

W: She's in the ______________ ______________.

M: What is she ______________ there?

W: ______________________

where 어디에 | living room 거실 | there 거기, 그곳

TIPS 의문사 Who는 사람을, What은 사물을, When은 시간을, Where는 장소를, Why는 이유를, How는 방법이나 상태를 물을 때 각각 사용합니다. 따라서 답변도 해당 의문사에 맞게 답해야 합니다.

3 회 Sentence Check

● 앞에 모의고사에 나온 문장들을 잘 듣고, 한 번씩 써보세요.

01 I want to be a tennis player. 나는 테니스 선수가 되고 싶다.

I want to be a tennis player.

02 Can you take care of the cats? 고양이들을 돌봐주겠니?

03 Let's play baseball. 야구하자.

04 Watch out! 조심해!

05 I'm thirsty. 나는 목이 마르다.

06 I am studying math. 나는 수학 공부를 하고 있다.

07 Thank you very much. 무척 고마워.

08 Look out the window! 창밖을 봐!

09 Look at that building! 저 건물을 봐!

10 May I help you? 도와줄까요?

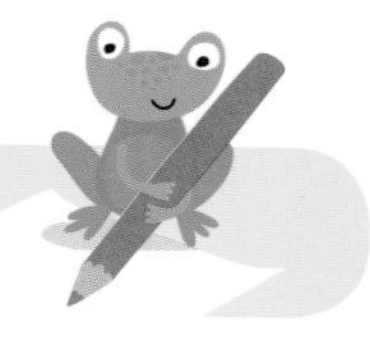

● 앞에 모의고사에 나온 대화들을 잘 듣고, 한 번씩 써보세요.

01
A How are you? 어떻게 지내?
B I'm fine. 좋아.
▶ A How are you?
B I'm fine.

02
A Let's play badminton at the park. 공원에서 배드민턴을 치자.
B That's a good idea. 좋은 생각이야.
▶ A
B

03
A Can you help me? 나 좀 도와줄 수 있니?
B Sure. No problem. 그럼. 문제없어.
▶ A
B

04
A Where is Sally? 샐리 어디에 있니?
B She's in the living room. 그녀는 거실에 있어.
▶ A
B

05
A What is she doing there? 거기서 뭐하고 있어?
B She's watching TV. 그녀는 TV를 보고 있어.
▶ A
B

Chapter

04 Warm-up

학습일 월 일 부모님 확인 점수

Step 1 Theme Words 모양 · 크기

	big	큰		small	작은
	round	둥근		square	정사각형의
	triangular	삼각형의		rectangular	직사각형의

Step 2 Expressions

● 형용사를 사용해서 사물의 모양이나 크기를 표현할 수 있습니다. 형용사는 이처럼 사물을 설명해 주는 말로 명사 앞에 오거나, be동사 다음에 위치합니다. 여기서는 명사 앞에 와서 명사를 설명하는 방법을 알아보겠습니다.

모양 · 크기 형용사 + 명사

• **round table** 둥근 식탁

It is a round table. 그것은 둥근 식탁이다.

• **square desk** 정사각형의 책상

It is a square desk. 그것은 정사각형의 책상이다.

Tips

▶ 모양을 나타내는 단어에는 다음과 같은 것들이 있습니다.

heart 하트 circle 원
clover 클로버 cube 정육면체
pyramid 피라미드 diamond 마름모

Step 3 Dialogues

● 사물의 모양이나 크기를 표현할 때는 [모양 · 크기를 나타내는 형용사 + 명사]의 형태를 써서 묻거나 답할 수 있습니다. 이때 a/an이나 the와 같은 관사는 형용사 앞에 붙입니다.

Ⓐ Do you need a **round** desk? 너는 둥근 책상이 필요하니?

Ⓑ No, I need a **square** one. 아니, 정사각형의 책상이 필요해.

Practice

● 앞에서 배운 표현을 이용해서 다양한 표현을 만들어 보세요.

The dog has **big** ears. 그 개는 귀가 크다.

The room is a **rectangular** shape. 그 방은 직사각형 모양이다.

Word Preview

● 문제에 등장하는 단어들을 듣고, 미리 한 번씩 써보세요.

01	kangaroo	캥거루	
02	key	열쇠	
03	jacket	재킷	
04	library	도서관	
05	round	둥근	
06	bakery	빵집	
07	clean	청소하다	
08	move	옮기다	
09	again	다시	
10	sing	노래하다	
11	learn	배우다	
12	flower	꽃	
13	always	항상, 언제나	
14	borrow	빌리다	
15	singer	가수	
16	umbrella	우산	
17	pleasure	즐거움	
18	meet	만나다	
19	cry	울다	
20	lose	잃어버리다	

4회 영어 듣기 모의고사

학습일 월 일 부모님 확인 점수

1

다음을 듣고, 첫소리가 다른 낱말을 고르시오. ······ (　　　)

① ② ③ ④

2

다음을 듣고, 들려주는 낱말의 첫소리를 고르시오. ······ (　　　)

① g ② j
③ b ④ r

3

다음을 듣고, 단어 카드와 일치하는 낱말을 고르시오. ······ (　　　)

① ② ③ ④

4

다음을 듣고, 모양이나 크기와 관련된 낱말이 아닌 것을 고르시오. ······ (　　　)

① ② ③ ④

5

다음 낱말을 듣고, 알맞은 뜻을 고르시오. ······ (　　　)

① 빵집 ② 도서관
③ 은행 ④ 아파트

6

다음 들려주는 문장이 쓰이는 경우를 고르시오. ………………………………… (　　　)

① 처음 만났을 때
② 취미를 물어볼 때
③ 제안할 때
④ 도움을 요청할 때

7

다음을 듣고, 남자 아이 모습과 일치하는 그림을 고르시오. ……………………… (　　　)

①

②

③

④

8

다음 그림과 같은 행동을 시킬 때 해야 할 표현을 고르시오. ……………………… (　　　)

①　　②　　③　　④

9

다음 그림을 보고, 여자 아이가 할 말로 알맞은 것을 고르시오. …………………… (　　　)

①　　②　　③　　④

10

다음을 듣고, 그림과 일치하는 설명을 고르시오. ………………………………… (　　　)

①　　　　　　④

11

다음을 듣고, 설명하고 있는 꽃을 고르시오. ·· (　　　)

①

②

③

④

12

다음 대화를 듣고, 남자 아이가 하는 행동을 고르시오. ································· (　　　)

① 독서　　② 설거지
③ 청소　　④ 숙제

13

다음 대화를 듣고, 교실에 있는 시계를 고르시오. ·· (　　　)

①

②

③

④

14

다음 대화를 듣고, 대화가 이루어지는 장소를 고르시오. ································ (　　　)

① 도서관　　② 옷 가게
③ 문구점　　④ 화장품 가게

15

다음 대화를 듣고, 두 사람이 무엇에 대해 말하고 있는지 고르시오. ················ (　　　)

① 스포츠 방송　　② 장래 희망
③ TV 방송　　④ 숙제

16

다음 그림을 보고, 그림과 일치하는 대화를 고르시오. ································ (   )

① ② ③ ④

17

다음을 듣고, 이어질 말로 적절하지 않은 것을 고르시오. ····························· (   )

W ______________________________

① ② ③ ④

18

다음을 듣고, 이어질 말로 적절하지 않은 것을 고르시오. ····························· (   )

M ______________________________

① ② ③ ④

19

다음 대화를 듣고, 이어질 말로 적절하지 않은 것을 고르시오. ························ (   )

M ______________________________

① Good.
② Not bad.
③ I'm sorry.
④ Couldn't be better.

20

다음 대화를 듣고, 이어질 말로 알맞은 것을 고르시오. ································ (   )

W ______________________________

① It is yellow and round.
② Yes, I can.
③ I'm looking for my bag.
④ I have a small bag.

4 회 Dictation 영어 듣기 모의고사

보통 속도 빠른 속도

정답 및 해석 p. 8

학습일 월 일 부모님 확인 점수

● 잘 듣고, 빈칸에 알맞은 말을 쓰세요.

1

다음을 듣고, 첫소리가 다른 낱말을 고르시오. ( )

① ② ③ ④

❶ W: kangaroo

❷ W: key

❸ W: ______________________

❹ W: ______________________

kangaroo 캥거루 | key 열쇠 | guitar 기타 | king 왕

TIPS 알파벳 G g 사운드는 girl(소녀)의 첫소리입니다.

2

다음을 듣고, 들려주는 낱말의 첫소리를 고르시오. ( )

_acket

① g ② j
③ b ④ r

M: ______________________

jacket 재킷

TIPS 알파벳 J j 사운드는 jam(잼)의 첫소리입니다.

3

다음을 듣고, 단어 카드와 일치하는 낱말을 고르시오. ( )

building

① ② ③ ④

❶ W: beautiful

❷ W: ______________________

❸ W: blue

❹ W: ______________________

beautiful 아름다운 | building 건물 | blue 파란색 | library 도서관

4

다음을 듣고, 모양이나 크기와 관련된 낱말이 아닌 것을 고르시오. ·················· (　　　)

① ② ③ ④

❶ M: round

❷ M: ______________________

❸ M: small

❹ M: ______________________

round 둥근 | big 큰 | small 작은 | desk 책상

TIPS desk는 '책상'으로 사물과 관련된 단어입니다. 이외에도 모양을 나타내는 형용사에는 square(정사각형의), triangular(삼각형의), rectangular(직사각형의) 등이 있습니다.

5

다음 낱말을 듣고, 알맞은 뜻을 고르시오. ··· (　　　)

① 빵집　② 도서관
③ 은행　④ 아파트

W: ______________________

bakery 빵집

6

다음 들려주는 문장이 쓰이는 경우를 고르시오. ···································· (　　　)

① 처음 만났을 때
② 취미를 물어볼 때
③ 제안할 때
④ 도움을 요청할 때

M: ______________________ play tennis.

let's ~하자 | play tennis 테니스를 치다

TIPS Let's는 '~하자'라는 의미로 상대방에게 제안할 때 쓰는 표현입니다. 이때 긍정의 대답에는 Sure. / Okay. / That sounds great. 등으로, 부정의 대답에는 No, let's not. / I'm sorry, but I can't. / I'd like to, but I can't. 등으로 답할 수 있습니다.

7

다음을 듣고, 남자 아이 모습과 일치하는 그림을 고르시오. ·························· (　　　)

①　②
③　④

B: I have a ______________________.

headache 두통

TIPS 아픈 곳을 말할 때 have를 써서 표현할 수 있습니다.
have a headache 두통이 있다
have a toothache 치통이 있다
have an earache 귀가 아프다

8

다음 그림과 같은 행동을 시킬 때 해야 할 표현을 고르시오. .... (   )

① ② ③ ④

❶ M: Wash your hands.

❷ M: Clean your room.

❸ M: ____________________ the desk.

❹ M: Can you move the ____________________?

wash one's hands 손을 씻다 | clean 청소하다 | room 방 | move 옮기다 | box 상자

TIPS 상대방에게 행동을 시키는 문장을 명령문이라고 합니다. 명령문은 동사원형으로 시작합니다.

9

다음 그림을 보고, 여자 아이가 할 말로 알맞은 것을 고르시오. .... (   )

① ② ③ ④

❶ G: Watch out!

❷ G: I'm ____________________.

❸ G: See you ____________________.

❹ G: I'm happy.

watch out 조심하다 | sorry 미안한 | see 보다 | again 다시 | happy 행복한

TIPS 여자 아이가 꽃병을 깬 상태에서 할 수 있는 표현을 고르세요.

10

다음을 듣고, 그림과 일치하는 설명을 고르시오. .... (   )

① ② ③ ④

❶ M: The man is ________________ a newspaper.

❷ M: The man is ____________________ a book.

❸ M: The man is singing.

❹ M: The man is learning English.

newspaper 신문 | buy 사다 | sing 노래하다 | learn 배우다

TIPS [be동사 + –ing] 형태는 지금 하고 있는 진행시제를 나타냅니다.

11

다음을 듣고, 설명하고 있는 꽃을 고르시오. .... (　　　)

① ② ③ ④

W: This is a ________________. The color of this flower is ________________. This always looks at the sun.

flower 꽃 | color 색 | yellow 노란 | always 언제나 | look at ~을 보다 | sun 태양

TIPS 노란색 꽃으로 태양을 향해 있는 꽃을 고르세요.

12

다음 대화를 듣고, 남자 아이가 하는 행동을 고르시오. .... (　　　)

① 독서　② 설거지
③ 청소　④ 숙제

G: ________________ are you doing, Mike?

B: I am ________________ my room.

what 무엇 | do 하다 | clean 청소하다 | room 방

TIPS [be동사 + −ing] 형태는 지금 하고 있는 진행시제를 나타냅니다. be동사는 주어에 맞게 현재의 경우 is/are 중에서 써야 합니다.

13

다음 대화를 듣고, 교실에 있는 시계를 고르시오. .... (　　　)

① ② ③ ④

G: Is there a ________________ in the classroom?

B: Yes, there is a ________________ clock on the wall.

clock 시계 | round 둥근 | wall 벽

TIPS 형용사는 be동사 다음에 와서 주어에 대한 보충 설명을 할 수 있습니다. 여기서는 clock(시계)에 대해서 round(둥근)로 설명해 주고 있습니다. 자명종은 alarm clock이라고 합니다.

14

다음 대화를 듣고, 대화가 이루어지는 장소를 고르시오. .... (　　　)

① 도서관　② 옷 가게
③ 문구점　④ 화장품 가게

M: Can I ________________ this book?

W: Do you have a ________________ card?

M: No, I don't.

borrow 빌리다 | book 책 | library card 도서관 카드

TIPS borrow, book, library card 등의 단어를 통해서 도서관에 있음을 알 수 있습니다.

15

다음 대화를 듣고, 두 사람이 무엇에 대해 말하고 있는지 고르시오. .... (   )

① 스포츠 방송 ② 장래 희망
③ TV 방송 ④ 숙제

B: What do you want to be in the ____________________?

G: I want to be a ____________________.

want 원하다 | in the future 장래에 | singer 가수

TIPS What do you want to be in the future?(너는 장래에 뭐가 되고 싶어?)는 주로 장래에 대한 희망을 물을 때 사용하는 표현입니다.

16

다음 그림을 보고, 그림과 일치하는 대화를 고르시오. .... (   )

① ② ③ ④

❶ W: It's raining.
____________________ your ____________________.
B: Okay, Mom.

❷ W: How is the ____________________?
B: It's sunny.

❸ W: What's this?
B: It is an umbrella.

❹ W: Who is this?
B: She is my mom.

take 가져가다 | umbrella 우산 | weather 날씨 | sunny 맑은

TIPS 비가 오고 있고, 아이가 밖에 나가려고 할 때 엄마와 할 수 있는 대화를 고르세요.

17

다음을 듣고, 이어질 말로 적절하지 않은 것을 고르시오. .... (   )

W ____________________

① ② ③ ④

M: Hi, Lisa. ____________________
____________________ my friend, Tom.

❶ W: Nice to meet you.

❷ W: I've heard about you.

❸ W: Pleasure to meet you.

❹ W: ____________________ ____________________.

friend 친구 | meet 만나다 | heard 듣다(hear)의 과거분사형 | about ~에 대해 | pleasure 즐거움

TIPS 처음 사람을 소개할 때는 This is my friend, Tom.(여기는 내 친구 톰이야.)처럼 This is 표현을 써서 소개할 수 있습니다.

18

다음을 듣고, 이어질 말로 적절하지 않은 것을 고르시오. ············ (　　　)

M ______________________

① ② ③ ④

W: ______________________ is this?

❶ M: She is my friend.

❷ M: He is my father.

❸ M: She is my sister.

❹ M: I love my ______________________

______________________.

who 누구 | father 아버지 | sister 누나, 자매 | love 사랑하다 | younger brother 남동생

TIPS 의문사 Who는 '누구'인지 묻는 것으로 여기에는 '누구'라고 대답해야 합니다.

19

다음 대화를 듣고, 이어질 말로 적절하지 않은 것을 고르시오. ············ (　　　)

M ______________________

① Good.
② Not bad.
③ I'm sorry.
④ Couldn't be better.

M: How are you doing?

W: I'm fine. ______________________

______________________ you?

M: ______________________________________

how 어떻게 | fine 좋은

TIPS How about you?(너는 어때?)는 상대방에 대한 질문으로, 여기서는 How are you doing?(어떻게 지내?)을 상대방에 묻고 있는 것입니다.

20

다음 대화를 듣고, 이어질 말로 알맞은 것을 고르시오. ············ (　　　)

W ______________________

① It is yellow and round.
② Yes, I can.
③ I'm looking for my bag.
④ I have a small bag.

M: Why are you crying?

W: I lost my bag.

M: What does it ______________________

______________________?

W: ______________________________________

cry 울다 | lost 잃어버리다(lose)의 과거형 | look like ~처럼 생기다

TIPS 사물의 모양을 나타내는 형용사로 잃어버린 가방을 설명하고 있는 것을 고르세요.

Sentence Check

● 앞에 모의고사에 나온 문장들을 잘 듣고, 한 번씩 써보세요.

01 Let's play tennis. 테니스를 치자.

Let's play tennis.

02 I have a headache. 나는 두통이 있다.

03 Can you move the boxes? 상자를 옮겨줄 수 있니?

04 Watch out! 조심해!

05 See you again. 또 보자.

06 The man is reading a newspaper. 남자가 신문을 읽고 있다.

07 The color of this flower is yellow. 이 꽃의 색은 노란색이다.

08 There is a round clock on the wall. 벽에 둥근 시계가 있다.

09 I love my younger brother. 나는 내 남동생을 사랑한다.

10 Pleasure to meet you. 만나서 기뻐.

Dialogue Check

● 앞에 모의고사에 나온 대화들을 잘 듣고, 한 번씩 써보세요.

01
A What are you doing? 뭐하고 있어?
B I'm cleaning my room. 나는 내 방 청소를 하고 있어.
▶ A What are you doing?
B I'm cleaning my room.

02
A Take your umbrella. 우산을 가져가라.
B Okay, Mom. 알겠어요, 엄마.
▶ A
B

03
A This is my friend, Tom. 여기는 내 친구 톰이야.
B Nice to meet you. 만나서 반가워.
▶ A
B

04
A How are you doing? 어떻게 지내?
B I'm fine. 좋아.
▶ A
B

05
A What does it look like? 그거 어떻게 생겼니?
B It is yellow and round. 노란색이고 둥근 모양이야.
▶ A
B

Chapter

05 Warm-up

학습일	월 일	부모님 확인		점수	

Step 1 Theme Words 하루 중 시간

	morning	아침		afternoon	오후
	evening	저녁		noon	정오
	night	밤		midnight	자정

Step 2 Expressions

● 하루 중 특정 때를 나타낼 때는 시간 전치사를 사용해서 표현합니다. 시간 전치사 at은 특정 시점을 나타내며, in은 특히 아침, 오후, 저녁을 나타낼 때 사용합니다. 전치사는 '앞에 놓인 말'로 명사 앞에 쓰입니다.

시간 전치사 + 때를 나타내는 명사

- **at noon** 정오에

  He eats lunch at noon.

  그는 정오에 점심을 먹는다.

- **in the morning** 아침에

  She takes a walk in the morning.

  그녀는 아침에 산책을 한다.

Tips

▶ 하루 중 시간은 다음과 같이 나타냅니다.

in the morning 아침에
at noon 정오에
in the afternoon 오후에
in the evening 저녁에
at night 밤에
at midnight 자정에

Step 3 Dialogues

● 때를 물을 때는 의문사 When을 사용해서 [When + 동사 + 주어 ?] 형태로 물어볼 수 있습니다. 이때 대답은 때를 나타내는 전치사 at, in을 이용해서 답할 수 있습니다.

Ⓐ **When** do you eat lunch? 너는 언제 점심을 먹니?
Ⓑ I eat lunch **at noon.** 나는 정오에 점심을 먹어.

Practice

● 앞에서 배운 시간 표현을 이용해서 하루 일과를 말해 보세요.

I get up early **in the morning.** 나는 아침에 일찍 일어난다.
I watch TV **at night.** 나는 밤에 TV를 본다.

Word Preview

● 문제에 등장하는 단어들을 듣고, 미리 한 번씩 써보세요.

01	shoes	신발		02	zebra	얼룩말	
03	movie	영화		04	live	살다	
05	morning	아침		06	afternoon	오후	
07	evening	저녁		08	elephant	코끼리	
09	job	일		10	enjoy	즐기다	
11	outside	밖에		12	clothes	옷	
13	gift	선물		14	sick	아픈	
15	night	밤		16	neck	목	
17	leg	다리		18	usually	보통	
19	thin	얇은		20	exciting	흥미진진한	

5회 영어 듣기 모의고사

학습일 월 일 부모님 확인 점수

1

다음을 듣고, 첫소리가 다른 낱말을 고르시오. ( )

① ② ③ ④

2

다음을 듣고, 들려주는 낱말의 첫소리를 고르시오. ( )

① c ② b
③ z ④ r

3

다음을 듣고, 단어 카드와 일치하는 낱말을 고르시오. ( )

① ② ③ ④

4

다음을 듣고, 하루의 때를 나타내는 낱말이 아닌 것을 고르시오. ( )

① ② ③ ④

5

다음 낱말을 듣고, 알맞은 뜻을 고르시오. ( )

① 호랑이 ② 사자
③ 코끼리 ④ 원숭이

6

다음 들려주는 문장이 쓰이는 경우를 고르시오. ( )

① 칭찬할 때 ② 질문할 때
③ 제안할 때 ④ 만났을 때

7

다음을 듣고, 설명과 일치하는 날씨를 고르시오. ··································· (　　　　)

① ②

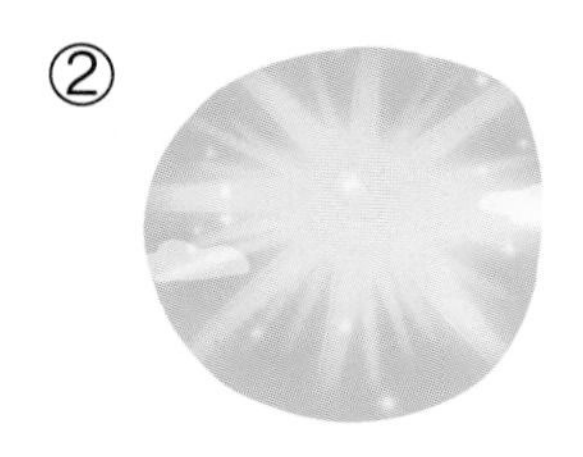

③ ④

8

다음 그림과 같은 행동을 시킬 때 해야 할 표현을 고르시오. ························· (　　　　)

① ② ③ ④

9

다음 그림을 보고, 아빠가 할 말로 알맞은 것을 고르시오. ···························· (　　　　)

① ② ③ ④

10

다음을 듣고, 그림과 일치하는 설명을 고르시오. ··································· (　　　　)

①  ②  ③  ④

11

다음을 듣고, 무엇에 대해 설명하고 있는지 고르시오. ································· (　　　)

③ 

④ 

12

다음 대화를 듣고, 여자가 오후에 하는 것을 고르시오. ································· (　　　)

① 산책하기
② 점심식사
③ 청소하기
④ 커피 마시기

13

다음 대화를 듣고, 남자 아이의 책을 고르시오. ······································· (　　　)

① 

② 

③ 

④ 

14

다음 대화를 듣고, 대화가 이루어지는 장소를 고르시오. ································ (　　　)

① 영화관　② 학교
③ 식당　④ 도서관

15

다음 대화를 듣고, 두 사람이 무엇에 대해 말하고 있는지 고르시오. ················ (　　　)

① 영화　② 연기 수업
③ 드라마　④ 음식

16

다음 그림을 보고, 그림과 일치하는 대화를 고르시오. ································( )

① ② ③ ④

17

다음을 듣고, 이어질 말로 적절하지 않은 것을 고르시오. ····························( )

W ______________________________

① ② ③ ④

18

다음을 듣고, 이어질 말로 적절하지 않은 것을 고르시오. ····························( )

B ______________________________

① ② ③ ④

19

다음 대화를 듣고, 이어질 말로 알맞은 것을 고르시오. ································( )

M ______________________________

① I'd like to, but I can't.
② Sounds good.
③ See you later.
④ I'll buy a gift.

20

다음 대화를 듣고, 이어질 말로 알맞은 것을 고르시오. ································( )

W ______________________________

① I have two cucumbers.
② Five, please.
③ She is ten years old.
④ I need two apples.

5회 Dictation 영어 듣기 모의고사

보통 속도

빠른 속도

정답 및 해석 p. 10

학습일 월 일 부모님 확인 점수

● 잘 듣고, 빈칸에 알맞은 말을 쓰세요.

1

다음을 듣고, 첫소리가 다른 낱말을 고르시오. ( )

① ② ③ ④

❶ W: car

❷ W: ______________________

❸ W: color

❹ W: ______________________

car 자동차 | computer 컴퓨터 | color 색 | song 노래

TIPS 알파벳 S s 사운드는 sofa(소파)의 첫소리입니다.

2

다음을 듣고, 들려주는 낱말의 첫소리를 고르시오. ( )

_ebra

① c ② b
③ z ④ r

M: ______________________

zebra 얼룩말

TIPS 알파벳 Z z 사운드는 zero(영, 0)의 첫소리입니다.

3

다음을 듣고, 단어 카드와 일치하는 낱말을 고르시오. ( )

river

① ② ③ ④

❶ W: ______________________

❷ W: love

❸ W: ______________________

❹ W: live

river 강 | love 사랑하다 | read 읽다 | live 살다

4

다음을 듣고, 하루의 때를 나타내는 낱말이 아닌 것을 고르시오. ··················· (　　　)

① ② ③ ④

❶ M: evening

❷ M: ______________________

❸ M: morning

❹ M: ______________________

evening 저녁 | lunch 점심식사 | morning 아침 | afternoon 오후

TIPS lunch는 '점심식사'란 의미로 식사를 의미하는 단어입니다. 식사에는 이외에도 breakfast(아침식사)와 dinner(저녁식사)가 있습니다.

5

다음 낱말을 듣고, 알맞은 뜻을 고르시오. ··················· (　　　)

① 호랑이　② 사자
③ 코끼리　④ 원숭이

W: ______________________

elephant 코끼리

6

다음 들려주는 문장이 쓰이는 경우를 고르시오. ··················· (　　　)

① 칭찬할 때　② 질문할 때
③ 제안할 때　④ 만났을 때

M: Good ______________!

good 좋은 | job 일

TIPS Good job!(잘했어!)은 칭찬할 때 쓰는 표현이며, 제안할 때는 Let's를 이용해서 Let's go.(가자.) 등으로 표현합니다.

7

다음을 듣고, 설명과 일치하는 날씨를 고르시오. ··················· (　　　)

① ② ③ ④

W: It is ______________ outside.

cloudy 흐린 | outside 밖에

TIPS 날씨를 나타내는 표현은 이외에도 windy(바람 부는), rainy(비 오는), sunny(맑은), snowy(눈이 오는), foggy(안개 낀), stormy(폭풍의) 등이 있습니다.

8

다음 그림과 같은 행동을 시킬 때 해야 할 표현을 고르시오. .... (　　　)

① ② ③ ④

❶ M: Take off your shoes.

❷ M: ____________ ____________ your clothes.

❸ M: Turn on the light.

❹ M: ____________ ____________ the light.

take off (옷 등을) 벗다 | shoes 신발 | put on (옷 등을) 입다 | clothes 옷 | turn on (불 등을) 켜다 | light 불, 전등 | turn off (불 등을) 끄다

TIPS 다음은 자주 쓰이는 동사 표현입니다.

take off (옷 등을) 벗다　put on (옷 등을) 입다
turn on (불 등을) 켜다　turn off (불 등을) 끄다
get on (탈것을) 타다　get off (탈것을) 내리다

9

다음 그림을 보고, 아빠가 할 말로 알맞은 것을 고르시오. .... (　　　)

① ② ③ ④

❶ M: Good ____________!

❷ M: I'm sick.

❸ M: I have a ____________.

❹ M: Get up.

night 밤 | sick 아픈 | have a cold 감기에 걸리다 | get up 일어나다

TIPS 밤에 아빠가 아이에게 할 수 있는 표현을 고르세요.

10

다음을 듣고, 그림과 일치하는 설명을 고르시오. .... (　　　)

① ② ③ ④

❶ W: The boy is going to school.

❷ W: The man is ____________.

❸ W: The boy is ____________ ____________.

❹ W: The man is drinking milk.

go to school 학교에 가다 | cook 요리하다 | have lunch 점심을 먹다 | drink 마시다 | milk 우유

TIPS 그림에서는 아이가 정오에 식사를 하고 있는 상황입니다.

11

다음을 듣고, 무엇에 대해 설명하고 있는지 고르시오. ( )

① ② ③ ④

M: This is an ________________. This has a ________________ neck and four legs.

animal 동물 | long 긴 | neck 목 | leg 다리

TIPS 목이 긴 동물을 고르세요.

12

다음 대화를 듣고, 여자가 오후에 하는 것을 고르시오. ( )

① 산책하기
② 점심식사
③ 청소하기
④ 커피 마시기

M: What do you do in the afternoon?

W: I usually ________________ ________________ ________________.

in the afternoon 오후에 | usually 보통 | take a walk 산책하다

TIPS 아침, 오후, 저녁을 나타낼 때는 전치사 in을 써서 표현합니다.
in the morning 아침에 in the afternoon 오후에
in the evening 저녁에

13

다음 대화를 듣고, 남자 아이의 책을 고르시오. ( )

① ② ③ ④

G: Is this your book?

B: No, my book is ________________ and ________________.

thin 얇은 | blue 파란

TIPS 형용사 thin(얇은)과 blue(파란)에 해당하는 책을 고르세요.

14

다음 대화를 듣고, 대화가 이루어지는 장소를 고르시오. ( )

① 영화관 ② 학교
③ 식당 ④ 도서관

M: Are you ready to ________________?

W: Yes, I will have the ________________.

ready 준비된 | order 주문하다 | pasta 파스타

TIPS Are you ready to order?(주문하실래요?)는 식당에서 흔히 들을 수 있는 표현입니다.

15

다음 대화를 듣고, 두 사람이 무엇에 대해 말하고 있는지 고르시오. .... (　　　)

① 영화　② 연기 수업
③ 드라마　④ 음식

W: Did you enjoy the ______________________?

M: Yes, the movie was ______________________.

enjoy 즐기다 | movie 영화 | exciting 흥미진진한

TIPS enjoy the movie(영화를 즐기다)나 exciting(흥미진진한) 등을 통해서 영화에 대해 말하고 있음을 알 수 있습니다.

16

다음 그림을 보고, 그림과 일치하는 대화를 고르시오. .... (　　　)

① ② ③ ④

❶ W: Take off your shoes.

B: Okay, Mom.

❷ W: You ______________________

______________________.

B: Yes, I passed the test.

❸ W: What's this?

B: It is my dog.

❹ W: What's the matter?

B: I had a ______________________ with my friend.

take off (옷 등을) 벗다 | shoes 신발 | happy 행복한 | pass the test 시험에 통과하다 | have a fight 싸우다

TIPS 그림에서 아이가 얼굴에 상처가 있는 것으로 보아 무슨 일인지 묻는 대화가 어울립니다. What's the matter?은 무슨 일인지 물을 때 쓰는 표현입니다.

17

다음을 듣고, 이어질 말로 적절하지 않은 것을 고르시오. .... (　　　)

W ______________________

① ② ③ ④

M: ______________________ ______________________ your mother do?

❶ W: She is a teacher.

❷ W: She is a ______________________.

❸ W: She is my ______________________.

❹ W: She is a singer.

what 무엇 | teacher 선생님 | doctor 의사 | singer 가수

TIPS What does your mother do?(너는 어머니는 무슨 일을 하시니?)는 직업을 물을 때 사용하는 표현입니다. 이외에도 What does your mother do for a living?(너의 어머니는 생계를 위해서 무슨 일을 하시니?)이라고 물을 수도 있습니다.

18

다음을 듣고, 이어질 말로 적절하지 않은 것을 고르시오. .... (   )

B ________________________

① ② ③ ④

G: What did you do ________________________
________________________?

❶ B: I went to the zoo.

❷ B: I visited my grandmother.

❸ B: I ____________ ____________ be a doctor.

❹ B: I played tennis.

zoo 동물원 | grandmother 할머니 | doctor 의사 | play tennis 테니스를 치다

TIPS
- [want to be + 직업을 나타내는 명사] 형태는 '~이 되고 싶다'라는 의미로 What do you want to be in the future?(너는 장래에 뭐가 되고 싶니?)라는 질문에 어울리는 답변 형태입니다.
- last weekend(지난 주말)로 묻고 있으므로 답변은 과거형 동사 went(go의 과거형), visited(visit의 과거형), played(play의 과거형) 등으로 대답해야 합니다.

19

다음 대화를 듣고, 이어질 말로 알맞은 것을 고르시오. .... (   )

M ________________________

① I'd like to, but I can't.
② Sounds good.
③ See you later.
④ I'll buy a gift.

M: Are you going to John's birthday party?

W: Yes. ________________________
________________________ you?

M: ________________________

birthday party 생일 파티 | see 보다 | later 나중에 | gift 선물

TIPS How about you?(너는 어때?)는 상대방에 대한 질문으로, 여기서는 Are you going to John's birthday party?(존의 생일 파티에 갈 거니?)를 상대방에 묻고 있는 것입니다.

20

다음 대화를 듣고, 이어질 말로 알맞은 것을 고르시오. .... (   )

W ________________________

① I have two cucumbers.
② Five, please.
③ She is ten years old.
④ I need two apples.

M: May I help you?

W: Do you have cucumbers?

M: Sure. ____________ ____________ cucumbers do you need?

W: ________________________

help 돕다 | cucumber 오이 | how many 얼마나 많이 | need 필요하다

TIPS How many ~?은 얼마나 많은지 묻는 질문으로 Yes/No로 답할 수 없으며, 주로 수치를 이용해 대답합니다.

5 회

Sentence Check

● 앞에 모의고사에 나온 문장들을 잘 듣고, 한 번씩 써보세요.

01 It is cloudy outside. 밖이 흐리다.

It is cloudy outside.

02 The boy is having lunch. 소년이 점심을 먹고 있다.

03 This has a long neck and four legs. 이것은 긴 목과 네 개의 다리를 가지고 있다.

04 I usually take a walk in the afternoon. 나는 보통 오후에 산책한다.

05 My book is thin and blue. 내 책은 얇고 파란색이다.

06 I passed the test. 나는 시험에 통과했다.

07 The movie was exciting. 영화가 흥미진진했다.

08 I want to be a doctor. 나는 의사가 되고 싶다.

09 Sounds good. 좋아.

10 I visited my grandmother. 나는 할머니 댁에 갔다.

5회

Dialogue Check

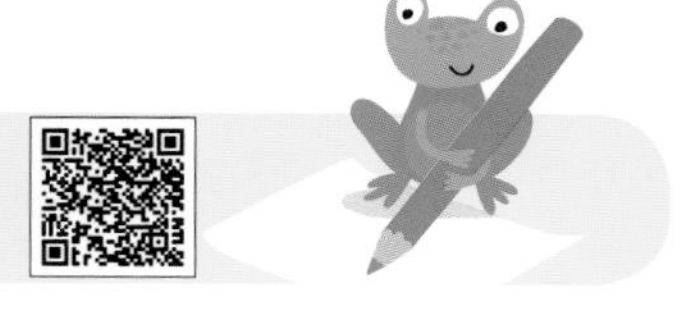

● 앞에 모의고사에 나온 대화들을 잘 듣고, 한 번씩 써보세요.

01 A Are you ready to order? 주문하실래요?
B Yes, I will have the pasta. 예, 파스타로 주세요.

▶ A Are you ready to order?
B Yes, I will have the pasta.

02 A What's the matter? 무슨 일이야?
B I had a fight with my friend. 친구랑 싸웠어.

▶ A
B

03 A What does your mother do? 너의 어머니는 무슨 일을 하시니?
B She is a teacher. 그녀는 선생님이야.

▶ A
B

04 A What did you do last weekend? 지난 주말에 뭐했어?
B I went to the zoo. 동물원에 갔어.

▶ A
B

05 A How many cucumbers do you need? 오이가 얼마나 필요하신가요?
B Five, please. 다섯 개 주세요.

▶ A
B

Chapter

06 Warm-up

학습일 월 일 부모님 확인 점수

Step 1 Theme Words 병

	headache	두통		stomachache	복통
	toothache	치통		fever	열
	cold	감기		runny nose	콧물

Step 2 Expressions

- 아픈 곳을 표현할 때는 아픈 증상을 나타내는 명사와 동사 have를 사용해서 표현할 수 있습니다. 이런 경우 해석은 '(아픈 증상)이 있다'라고 말합니다.

have a + 아픈 증상을 나타내는 명사

- **have a headache 두통이 있다**

I have a headache. 나는 두통이 있다.

- **have a fever 열이 있다**

I have a fever. 나는 열이 있다.

Tips

▶ 이외에도 have를 써서 아픈 증상을 나타내는 표현에는 다음과 같은 것들이 있습니다.
have a cough 기침을 하다
have a fever 열이 있다
have a pain 통증이 있다
have an allergy 알레르기가 있다

Step 3 Dialogues

● Are you okay?는 상대방이 기분이 상했을 때나 몸이 좋지 않을 때 "괜찮니?"라고 묻는 표현으로, What's the matter?(너 어디 아프니?)로 쓸 수도 있습니다. 이때 아픈 증상이 있다면 동사 have를 써서 [have a + 아픈 증상을 나타내는 명사]로 답변할 수 있습니다.

Ⓐ What's the matter? 너 어디 아프니?

Ⓑ **I have a headache.** 나 두통이 있어.

Practice

● 앞에서 배운 단어를 이용해서 아픈 증상을 말해 보세요.

I **have a stomachache.** 나는 복통이 있어.

I **have a runny nose.** 나는 콧물이 나.

Word Preview

● 문제에 등장하는 단어들을 듣고, 미리 한 번씩 써보세요.

01	circle	원		02	circus	서커스	
03	city	도시		04	letter	편지	
05	cookie	쿠키, 과자		06	fever	열	
07	wife	부인		08	together	함께	
09	animal	동물		10	some	조금	
11	son	아들		12	because	왜냐하면	
13	badminton	배드민턴		14	way	길	
15	party	파티		16	season	계절	
17	tell	말하다		18	something	무언가	
19	water	물		20	pass	건네다	

6회 영어 듣기 모의고사

학습일 월 일 부모님 확인 점수

1

다음을 듣고, 첫소리가 <u>다른</u> 낱말을 고르시오. ....( )

① ② ③ ④

2

다음을 듣고, 들려주는 낱말의 첫소리를 고르시오. ....( )

_etter

① l ② u ③ r ④ k

3

다음을 듣고, 단어 카드와 일치하는 낱말을 고르시오. ....( )

wolf

① ② ③ ④

4

다음을 듣고, 병과 관련된 증상이 <u>아닌</u> 것을 고르시오. ....( )

① ② ③ ④

5

다음 낱말을 듣고, 알맞은 뜻을 고르시오. ....( )

① 화장실 ② 마트
③ 극장 ④ 식당

6

다음 들려주는 문장이 쓰이는 경우를 고르시오. ....( )

① 칭찬할 때 ② 헤어질 때
③ 권유할 때 ④ 충고할 때

7

다음을 듣고, 여자 아이 모습과 일치하는 그림을 고르시오. ································ (   )

① 

② 

③ 

④ 

8

다음 그림을 보고, 여자가 할 말로 알맞은 것을 고르시오. ································ (   )

① ② ③ ④

9

다음을 듣고, 그림과 일치하는 설명을 고르시오. ································ (   )

① ② ③ ④

10

다음을 듣고, 무엇에 대해 설명하고 있는지 고르시오. ································ (   )

① 

② 

③ 

④ 

11

다음 대화를 듣고, 여자 아이가 방과 후에 하는 것을 고르시오. .... (   )

① 산책 ② 숙제
③ 수영 ④ 독서

12

다음 대화를 듣고, 남자의 아들을 고르시오. .... (   )

①
②

③

④

13

다음 대화를 듣고, 남자 아이의 기분이 어떤지 고르시오. .... (   )

①

②

③

④

14

다음 대화를 듣고, 두 사람이 무엇을 할지 고르시오. .... (   )

① 테니스 ② 탁구
③ 야구 ④ 배드민턴

15

다음 대화를 듣고, 대화가 이루어지는 장소를 고르시오. .... (   )

① 길거리 ② 은행
③ 극장 ④ 운동장

16

다음 그림을 보고, 그림과 일치하는 대화를 고르시오. ························ (　　　)

① ② ③ ④

17

다음을 듣고, 이어질 말로 적절하지 않은 것을 고르시오. ························ (　　　)

B ______________________

① ② ③ ④

18

다음을 듣고, 이어질 말로 알맞은 것을 고르시오. ························ (　　　)

W ______________________

① ② ③ ④

19

다음 대화를 듣고, 이어질 말로 알맞은 것을 고르시오. ························ (　　　)

M ______________________

① No, it isn't.
② Yes, you can.
③ I like going to the museum.
④ I don't know anything.

20

다음을 듣고, 이어질 말로 알맞은 것을 고르시오. ························ (　　　)

W ______________________

① Try some chocolate.
② I don't drink water.
③ Me, too.
④ Sure. Here you are.

6 회

보통 속도

빠른 속도

정답 및 해석 p. 12

Dictation 영어 듣기 모의고사

학습일 월 일 부모님 확인 점수

● 잘 듣고, 빈칸에 알맞은 말을 쓰세요.

1

다음을 듣고, 첫소리가 다른 낱말을 고르시오. ( )

① ② ③ ④

❶ W: circle

❷ W: circus

❸ W: ________________

❹ W: ________________

circle 원 | circus 서커스 | king 왕 | city 도시

TIPS 알파벳 K k 사운드는 Korea(한국)의 첫소리입니다.

2

다음을 듣고, 들려주는 낱말의 첫소리를 고르시오. ( )

_etter

① l ② u ③ r ④ k

M: ________________

TIPS 알파벳 L l 사운드는 lemon(레몬)의 첫소리입니다.

3

다음을 듣고, 단어 카드와 일치하는 낱말을 고르시오. ( )

wolf

① ② ③ ④

❶ W: lion

❷ W: ________________

❸ W: wife

❹ W: ________________

lion 사자 | wolf 늑대 | wife 부인 | fox 여우

4

다음을 듣고, 병과 관련된 증상이 아닌 것을 고르시오. ( )

① ② ③ ④

❶ M: headache

❷ M: runny nose

❸ M: ________________

❹ M: ________________

headache 두통 | runny nose 콧물 | cold 감기 | rainy 비 오는

TIPS rainy는 '비 오는'이란 의미로 날씨를 표현하는 단어입니다.

5

다음 낱말을 듣고, 알맞은 뜻을 고르시오. ....( )

① 화장실 ② 마트
③ 극장 ④ 식당

W: ______________________________

restaurant 식당

6

다음 들려주는 문장이 쓰이는 경우를 고르시오. ....( )

① 칭찬할 때 ② 헤어질 때
③ 권유할 때 ④ 충고할 때

M: ____________________ you like some cookies?

some 조금 | cookie 쿠키, 과자

TIPS [Would you like + 명사?]는 무엇을 권유할 때 사용하는 표현입니다. [Would you like to + 동사원형?] 형태로 바꿔서 Would you like to have some cookies?라고도 말할 수 있습니다.

7

다음을 듣고, 여자 아이 모습과 일치하는 그림을 고르시오. ....( )

① ②
③ ④

G: I have a ____________________.

have a cold 감기에 걸리다

TIPS [have a + 아픈 증상을 나타내는 명사] 형태로 아픈 증상을 표현할 수 있습니다.

8

다음 그림을 보고, 여자가 할 말로 알맞은 것을 고르시오. ....( )

① ② ③ ④

❶ W: What's the ____________________?
❷ W: I'm happy.
❸ W: I have a ____________________.
❹ W: What is it?

matter 문제 | happy 행복한 | have a fever 열이 있다

TIPS
- 어디가 아픈지 물을 때 What's the matter?(어디 아프니?), What's the problem?(문제가 뭐야?) 등으로 물을 수 있습니다.
- What's the matter?는 '너 어디 아프니?', '무슨 일 있어?'라는 의미로도 쓰이지만, 화난 어조로 말할 때에는 '대체 왜 그래?'라는 의미로도 사용합니다.

9

다음을 듣고, 그림과 일치하는 설명을 고르시오. ( )

① ② ③ ④

❶ M: They are __________________ TV.

❷ M: They are going to school together.

❸ M: They are __________________ computer games.

❹ M: They are playing soccer together.

watch 보다 | go to school 학교에 가다 | together 함께 | play soccer 축구를 하다

TIPS [be동사 + −ing] 형태는 지금 하고 있는 진행시제를 나타냅니다. 그림에서는 아이들이 TV를 보고 있습니다.

10

다음을 듣고, 무엇에 대해 설명하고 있는지 고르시오. ( )

① 
② 
③ 
④ 

W: This is an __________________. It has a long __________________ and big ears.

animal 동물 | long 긴 | nose 코 | big 큰, 커다란 | ear 귀

TIPS 긴 코와 큰 귀를 가진 동물을 고르세요.

11

다음 대화를 듣고, 여자 아이가 방과 후에 하는 것을 고르시오. ( )

① 산책 ② 숙제
③ 수영 ④ 독서

B: What do you do after school?

G: I usually __________________ __________________.

after school 방과 후에 | usually 보통 | go swimming 수영하러 가다

TIPS usually는 빈도를 나타내는 부사로 '보통'이라는 의미입니다. 빈도를 나타내는 부사는 be동사 다음에 오거나 일반동사 앞에 위치합니다. 여기서는 일반동사 go 앞에 위치하고 있습니다.

12

다음 대화를 듣고, 남자의 아들을 고르시오. .... ( )

① ② ③ ④

W: ________________ is this boy?

M: He is my son. He likes ________________.

boy 소년 | son 아들 | like 좋아하다 | soccer 축구

TIPS 여기서는 like soccer(축구를 좋아한다)를 들었다면 쉽게 풀 수 있는 문제입니다. 주어가 He로 3인칭 단수 주어라 동사 like에 -s가 붙어 있습니다.

13

다음 대화를 듣고, 남자 아이의 기분이 어떤지 고르시오. .... ( )

① ② ③ ④

G: You ________________ ________________.

B: It's because today is my birthday.

look happy 행복해 보이다 | because 왜냐하면 | birthday 생일

TIPS [look + 감정을 나타내는 형용사] 형태로 사용해서 '~해 보이다'라고 표현할 수 있습니다.
look sad 슬퍼 보이다 look excited 흥분해 보이다

14

다음 대화를 듣고, 두 사람이 무엇을 할지 고르시오. .... ( )

① 테니스 ② 탁구
③ 야구 ④ 배드민턴

G: Let's play tennis.

B: I can't play tennis, but I can ________________ ________________.

G: Oh, then ________________ play badminton.

play tennis 테니스를 치다 | play badminton 배드민턴을 치다 | then 그러면

TIPS Let's는 '~하자'라는 의미로 상대방에게 제안할 때 쓰는 표현입니다. 이때 긍정의 대답에는 Sure. / Okay. / That sounds great. 등으로, 부정의 대답에는 No, let's not. / I'm sorry, but I can't. / I'd like to, but I can't. 등으로 답할 수 있습니다.

15

다음 대화를 듣고, 대화가 이루어지는 장소를 고르시오. ( )

① 길거리 ② 은행
③ 극장 ④ 운동장

W: Excuse me. Would you ______________ me the ______________ to the museum?

M: Go straight and ______________ ______________ at the corner.

W: Thank you.

show 알려주다 | way 길 | straight 곧바로 | at the corner 모퉁이에서

TIPS 거리에서 박물관으로 가는 길을 물어보고 있습니다.

16

다음 그림을 보고, 그림과 일치하는 대화를 고르시오. ( )

① ② ③ ④

❶ W: Can you come to my birthday party?
M: Of course.

❷ W: ______________ ______________ is it?
M: It's 3 o'clock.

❸ W: ______________ is the bus stop?
M: It is next to the bakery.

❹ W: What is your favorite season?
M: I like winter.

come to ~에 오다 | birthday party 생일 파티 | of course 물론 | bus stop 버스정류장 | next to ~ 옆에 | bakery 빵집 | favorite 좋아하는 | season 계절 | winter 겨울

TIPS 그림에서 여자가 남자에게 시간을 묻고 있으므로 그런 상황에서 하는 대화가 어울립니다.

17

다음을 듣고, 이어질 말로 적절하지 않은 것을 고르시오. ( )

B ______________

① ② ③ ④

G: ______________ is that man?

❶ B: He is my older brother.

❷ B: He is John's father.

❸ B: He is ______________ a book.

❹ B: He is my math teacher.

who 누구 | older brother 형 | father 아버지 | read 읽다 | math 수학

TIPS 의문사 Who는 사람을 물을 때 쓰는 의문사이므로 답변도 사람으로 해야 합니다. 사물을 물을 때는 의문사 What을 사용합니다.

18

다음을 듣고, 이어질 말로 알맞은 것을 고르시오. ( )

W ______________

① ② ③ ④

M: __________ __________
have a dog?

❶ W: Yes, it is.

❷ W: No, it isn't.

❸ W: No, but I have a cat.

❹ W: I __________ __________.

have 가지다 | dog 개 | cat 고양이 | like 좋아하다

TIPS Do를 이용한 의문문에는 Yes/No로 대답하며 일반동사를 이용하고, Be를 이용한 의문문은 Yes/No로 대답하며 be동사를 이용하여 대답합니다.

19

다음 대화를 듣고, 이어질 말로 알맞은 것을 고르시오. ( )

M ______________

① No, it isn't.
② Yes, you can.
③ I like going to the museum.
④ I don't know anything.

G: Dad, I have __________ to tell you.

M: What is it?

G: __________ __________
go to the museum with my friends?

M: ______________________

something 무언가 | tell 말하다 | museum 박물관 | with ~와 | friend 친구

TIPS Can 의문문은 허락을 물을 때 사용할 수 있으며, 이에 대한 대답은 Yes/No로 해야 합니다. 또한 대답할 때 주어를 잘 살펴보아야 합니다. 여기서는 I로 묻고 있으므로 you로 답하는 것이 어울립니다.

20

다음을 듣고, 이어질 말로 알맞은 것을 고르시오. ( )

W ______________

① Try some chocolate.
② I don't drink water.
③ Me, too.
④ Sure. Here you are.

M: __________ __________
pass me the water?

W: ______________________

pass 건네다 | water 물

TIPS Can 의문문은 허락을 물을 때 사용할 수 있으며, 이때 긍정에는 Sure. / Of course. / Okay. 등으로 답할 수 있습니다.

6 회 Sentence Check

● 앞에 모의고사에 나온 문장들을 잘 듣고, 한 번씩 써보세요.

01 I usually go swimming after school. 나는 보통 방과 후에 수영하러 간다.

I usually go swimming after school.

02 I'm happy because today is my birthday. 나는 오늘이 내 생일이라 행복하다.

03 I can't play tennis. 나는 테니스를 칠 수 없다.

04 Let's play badminton. 배드민턴을 치자.

05 I like winter. 나는 겨울을 좋아한다.

06 The bus stop is next to the bakery. 버스 정류장은 빵집 옆이다.

07 He is my math teacher. 그는 나의 수학 선생님이다.

08 I like going to the museum. 나는 박물관 가는 것을 좋아한다.

09 I don't know anything. 나는 아무것도 모르겠다.

10 Try some chocolate. 초콜릿을 먹어 봐.

6회 Dialogue Check

● 앞에 모의고사에 나온 대화들을 잘 듣고, 한 번씩 써보세요.

01 **A** Go straight and turn right at the corner. 곧장 가서 모퉁이에서 오른쪽으로 가세요.
B Thank you. 감사합니다.

▶ **A** Go straight and turn right at the corner.
B Thank you.

02 **A** What time is it? 몇 시야?
B It's 3 o'clock. 3시야.

▶ **A**
B

03 **A** Who is that man? 저 남자는 누구니?
B He is my older brother. 내 형이야.

▶ **A**
B

04 **A** Do you have a dog? 너는 개가 있니?
B No, but I have a cat. 아니, 하지만 고양이는 있어.

▶ **A**
B

05 **A** Can I go to the museum with my friends? 친구들과 박물관에 가도 되나요?
B Yes, you can. 응, 가도 돼.

▶ **A**
B

Chapter **07 Warm-up**

학습일 월 일 부모님 확인 점수

Step 1 Theme Words 요일

MONDAY January 3	Monday	월요일	Tuesday January 4	Tuesday	화요일
Wednesday January 5	Wednesday	수요일	Thursday January 6	Thursday	목요일
Friday January 7	Friday	금요일	Saturday January 8	Saturday	토요일
Sunday January 9	Sunday	일요일		weekend	주말

Step 2 Expressions

● 시간 전치사 on은 날짜나 요일, 특별한 하루를 표현할 때 사용해서 '~에'라는 의미로 쓰입니다. 여기서는 요일 앞에 사용하는 경우를 살펴보겠습니다. 또한 요일은 첫 글자를 대문자로 씁니다.

on + 요일

· **on Monday 월요일에**
I go swimming on Monday. 나는 월요일에 수영하러 간다.

· **on Saturday 토요일에**
I go to the library on Saturday. 나는 토요일에 도서관에 간다.

Tips
▶ 전치사 on은 요일 이외에도 날짜, 특정한 날에 사용합니다.
on September 1 9월 1일에
on Monday morning 월요일 아침에
on my birthday 내 생일에

Step 3 Dialogues

● 해당 요일에 무슨 일을 하는지 물을 때 의문사 What을 이용해서 물을 수 있습니다. 이때 요일 앞에는 전치사 on을 넣어서 사용합니다. 그리고 요일은 첫 글자를 대문자로 씁니다.

Ⓐ What do you do **on Monday**? 너는 월요일에 뭐해?

Ⓑ I practice the piano. 나는 피아노 연습을 해.

Practice

● 앞에서 배운 요일을 넣어서 일상생활을 말해 보세요.

I go fishing **on Saturday**. 나는 토요일에 낚시를 가.

I go shopping **on Sunday**. 나는 일요일에 쇼핑을 가.

Word Preview

● 문제에 등장하는 단어들을 듣고, 미리 한 번씩 써보세요.

01	kingdom	왕국		02	glass	유리	
03	power	힘		04	grow	자라다	
05	fruit	과일		06	winter	겨울	
07	future	장래, 미래		08	touch	만지다	
09	here	여기에		10	under	~ 아래에	
11	lesson	수업		12	favorite	좋아하는	
13	summer	여름		14	spring	봄	
15	order	주문하다		16	weekend	주말	
17	visit	방문하다		18	great	훌륭한	
19	matter	일, 문제		20	walk	산책시키다	

7회 영어 듣기 모의고사

학습일 월 일 부모님 확인 점수

1

다음을 듣고, 첫소리가 <u>다른</u> 낱말을 고르시오. ....( )

① ② ③ ④

2

다음을 듣고, 들려주는 낱말의 첫소리를 고르시오. ....( )

_indow

① v ② u
③ r ④ w

3

다음을 듣고, 단어 카드와 일치하는 낱말을 고르시오. ....( )

flower

① ② ③ ④

4

다음을 듣고, 요일과 관련된 낱말이 <u>아닌</u> 것을 고르시오. ....( )

① ② ③ ④

5

다음 낱말을 듣고, 알맞은 뜻을 고르시오. ....( )

① 오늘 ② 내일
③ 현재 ④ 미래

6

다음 들려주는 문장이 쓰이는 경우를 고르시오. ....( )

① 안부를 물을 때 ② 제안할 때
③ 가격을 물을 때 ④ 만났을 때

7

다음을 듣고, 설명과 일치하는 요일을 고르시오. ( )

① 월요일 ② 화요일
③ 수요일 ④ 목요일

8

다음 그림을 보고, 여자가 할 말로 알맞은 것을 고르시오. ( )

① ② ③ ④

9

다음을 듣고, 그림과 일치하는 설명을 고르시오. ( )

① ② ③ ④

10

다음을 듣고, 여자가 피아노 수업을 받는 요일을 고르시오. ( )

① 월요일 ② 화요일
③ 수요일 ④ 목요일

11

다음 대화를 듣고, 무엇에 대해 말하고 있는지 고르시오. ( )

① 좋아하는 음식
② 좋아하는 계절
③ 좋아하는 운동
④ 좋아하는 과일

12

다음 대화를 듣고, 일치하는 로봇의 위치를 고르시오. ································ (　　　)

①

②

③

④

13

다음 대화를 듣고, 두 사람이 먹을 음식을 고르시오. ···································· (　　　)

①

②

③

④

14

다음 대화를 듣고, 남자가 주말에 무엇을 하는지 고르시오. ···························· (　　　)

① 야구하기
② 박물관 가기
③ 친구 만나기
④ 할머니 방문하기

15

다음 대화를 듣고, 대화가 이루어지는 장소를 고르시오. ································ (　　　)

① 거실　　② 부엌
③ 침실　　④ 화장실

16

다음 그림을 보고, 그림과 일치하는 대화를 고르시오. ································ (　　　)

① ② ③ ④

17

다음을 듣고, 축하할 때 사용하는 표현을 고르시오. ································ (　　　)

① ② ③ ④

18

다음을 듣고, 이어질 말로 적절하지 않은 것을 고르시오. ································ (　　　)

W ________________________________

① ② ③ ④

19

다음 대화를 듣고, 이어질 말로 알맞은 것을 고르시오. ································ (　　　)

M ________________________________

① I like swimming in the sea.
② We can speak Korean.
③ I have music lessons on Monday.
④ I can see many beautiful flowers.

20

다음 대화를 듣고, 이어질 말로 알맞은 것을 고르시오. ································ (　　　)

M ________________________________

① I have lunch with my friend.
② I don't eat breakfast.
③ I ate some ice cream.
④ I'm eating cookies.

7회 Dictation 영어 듣기 모의고사

보통 속도

빠른 속도

정답 및 해석 p. 14

학습일 월 일 | 부모님 확인 | 점수

● 잘 듣고, 빈칸에 알맞은 말을 쓰세요.

1

다음을 듣고, 첫소리가 다른 낱말을 고르시오. ( )

① ② ③ ④

❶ W: garden

❷ W: ____________________

❸ W: girl

❹ W: ____________________

garden 정원 | kingdom 왕국 | girl 소녀 | glass 유리

TIPS 알파벳 K k 사운드는 king(왕)의 첫소리입니다.

2

다음을 듣고, 들려주는 낱말의 첫소리를 고르시오. ( )

_indow

① v ② u
③ r ④ w

M: ____________________

window 창문

TIPS 알파벳 W w 사운드는 work(일하다)의 첫소리입니다.

3

다음을 듣고, 단어 카드와 일치하는 낱말을 고르시오. ( )

flower

① ② ③ ④

❶ W: power

❷ W: ____________________

❸ W: ____________________

❹ W: fruit

power 힘 | grow 자라다 | flower 꽃 | fruit 과일

4

다음을 듣고, 요일과 관련된 낱말이 아닌 것을 고르시오. ( )

① ② ③ ④

❶ M: Tuesday

❷ M: ____________________

❸ M: Wednesday

❹ M: ____________________

Tuesday 화요일 | Sunday 일요일 | Wednesday 수요일 | winter 겨울

TIPS winter는 '겨울'로, 계절을 나타내는 단어입니다. 계절은 이외에도 spring(봄), summer(여름), fall(가을)이 있습니다.

5

다음 낱말을 듣고, 알맞은 뜻을 고르시오. ( )

① 오늘 ② 내일
③ 현재 ④ 미래

W: ____________________

future 장래, 미래

6

다음 들려주는 문장이 쓰이는 경우를 고르시오. ( )

① 안부를 물을 때 ② 제안할 때
③ 가격을 물을 때 ④ 만났을 때

M: ____________________ ____________________ is it?

how much 얼마나 많이

TIPS How much is it?(이게 얼마예요?)은 가격을 물을 때 쓰는 표현입니다.

7

다음을 듣고, 설명과 일치하는 요일을 고르시오. ( )

① 월요일 ② 화요일
③ 수요일 ④ 목요일

W: Today is ____________________.

today 오늘 | Monday 월요일

TIPS 요일에는 Monday(월요일), Tuesday(화요일), Wednesday (수요일), Thursday(목요일), Friday(금요일), Saturday(토요일), Sunday(일요일)가 있습니다.

8

다음 그림을 보고, 여자가 할 말로 알맞은 것을 고르시오. ( )

① ② ③ ④

❶ W: Don't run, please.

❷ W: Don't ____________________ here, please.

❸ W: Don't touch, please.

❹ W: Don't ____________________ ____________________ here, please.

run 뛰다 | eat 먹다 | here 여기에 | touch 만지다 | take pictures 사진 찍다

TIPS 그림에 있는 표지판을 보면 답을 쉽게 알 수 있습니다.

9

다음을 듣고, 그림과 일치하는 설명을 고르시오. .... (   )

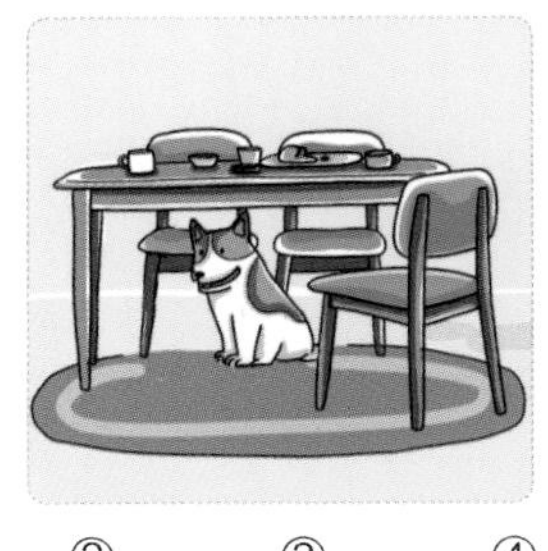

① ② ③ ④

❶ M: There is a cat under the table.

❷ M: There are ____________________ ____________________ the table.

❸ M: There are cats on the table.

❹ M: There is ____________________ ____________________ under the table.

cat 고양이 | under ~ 아래에 | table 식탁 | dog 개

TIPS There is/are ~.는 '무엇이 있다'라는 표현으로, 단수에는 is를, 복수에는 are를 사용합니다.

10

다음을 듣고, 여자가 피아노 수업을 받는 요일을 고르시오. .... (   )

① 월요일 ② 화요일
③ 수요일 ④ 목요일

W: I have a piano lesson ____________________ ____________________.

piano lesson 피아노 수업 | Thursday 목요일

TIPS '수업이 있다'고 할 때 동사 have를 써서 표현합니다.
have a piano lesson 피아노 수업이 있다

11

다음 대화를 듣고, 무엇에 대해 말하고 있는지 고르시오. .... (   )

① 좋아하는 음식
② 좋아하는 계절
③ 좋아하는 운동
④ 좋아하는 과일

B: What's your favorite ____________________?

G: I like ____________________. How about you?

B: I like ____________________.

favorite 좋아하는 | season 계절 | summer 여름 | spring 봄

TIPS
- season, summer, spring 단어를 통해서 무엇에 대해 말하고 있는지 알 수 있습니다.
- 계절을 나타내는 단어들에는 spring(봄), summer(여름), fall(가을), winter(겨울)가 있습니다.

12

다음 대화를 듣고, 일치하는 로봇의 위치를 고르시오. .... (　　　)

① ② ③ ④

B: Where is the toy robot?

W: It is ________________ ________________

________________.

toy 장난감 | robot 로봇 | in ~ 안에 | box 상자

TIPS • '어디에 있다'는 위치를 나타낼 때 전치사 in을 명사 앞에 써서 '(특정 장소) 안에'라고 표현할 수 있습니다.
• 위치를 나타내는 전치사에는 이외에도 다음과 같은 것들이 있습니다.
on ~ 위에(접촉이 있을 때)　next to ~ 옆에　under ~ 아래에
in front of ~ 앞에　behind ~ 뒤에

13

다음 대화를 듣고, 두 사람이 먹을 음식을 고르시오. .... (　　　)

① ② ③ ④

M: I'm hungry. Let's order ________________

________________.

W: Sounds good.

hungry 배고픈 | order 주문하다 | fried chicken 프라이드치킨 | good 좋은

TIPS Let's로 시작하는 제안문에는 긍정일 때는 Sure. / Okay. / That sounds great. 등으로, 부정일 때는 No, let's not. / I'm sorry, but I can't. / I'd like to, but I can't. 등으로 답할 수 있습니다.

14

다음 대화를 듣고, 남자가 주말에 무엇을 하는지 고르시오. .... (　　　)

① 야구하기
② 박물관 가기
③ 친구 만나기
④ 할머니 방문하기

W: What do you do on weekends?

M: I ________________ my ________________.

weekend 주말 | visit 방문하다 | grandmother 할머니

TIPS on weekends는 '주말마다'라는 의미로, 명사에 -s가 붙어서 반복된 일상을 표현합니다.

15

다음 대화를 듣고, 대화가 이루어지는 장소를 고르시오. .... (   )

① 거실　　② 부엌
③ 침실　　④ 화장실

B: Mom, what are you doing?

W: I'm ________________ ________________.

Are you hungry?

B: Yes, I am.

what 무엇 | make dinner 저녁을 만들다 | hungry 배고픈

TIPS make dinner는 '저녁을 만들다'라는 의미로, 부엌에서 이루어진 대화라는 것을 알 수 있습니다.

16

다음 그림을 보고, 그림과 일치하는 대화를 고르시오. .... (   )

① ② ③ ④

❶ G: Can I come in?

B: Sure. Come on in.

❷ G: Is this ________________

________________?

B: Yes, I got it for my birthday.

❸ G: What are you doing?

B: I'm ________________ a book.

❹ G: Who is this?

B: He is my uncle.

come in 들어오다 | bicycle 자전거 | birthday 생일 | uncle 삼촌

TIPS
• [be동사 + -ing] 형태는 지금 하고 있는 진행시제를 나타냅니다.
• Can I ~?는 무엇을 해도 되는지 허락을 물을 때 쓰는 표현입니다.

17

다음을 듣고, 축하할 때 사용하는 표현을 고르시오. .... (   )

① ② ③ ④

❶ G: Nice to meet you.

❷ G: ________________!

❸ G: That's a good idea.

❹ G: I'm ________________, but I can't.

meet 만나다 | congratulations 축하해 | idea 생각 | sorry 미안한

TIPS Nice to meet you.는 처음 만났을 때, That's a good idea.는 의견에 동의할 때, I'm sorry, but I can't.는 제안을 거절할 때 각각 쓸 수 있습니다.

18

다음을 듣고, 이어질 말로 적절하지 않은 것을 고르시오. .... (　　　)

W ____________________

① ② ③ ④

M: ____________________ do you do in the ____________________?

❶ W: I walk my dog.

❷ W: I do my homework.

❸ W: I watch TV.

❹ W: I'm great, ____________________.

what 무엇 | evening 저녁 | walk 산책시키다 | homework 숙제 | watch 보다 | great 훌륭한

TIPS What do you do in the evening?(너는 저녁에 뭐해?)은 일상적으로 저녁에 하는 일을 묻는 질문입니다. 이에 적절하지 않은 것을 고르세요.

19

다음 대화를 듣고, 이어질 말로 알맞은 것을 고르시오. .... (　　　)

M ____________________

① I like swimming in the sea.
② We can speak Korean.
③ I have music lessons on Monday.
④ I can see many beautiful flowers.

W: Jun, what is your favorite season?

M: I like spring.

W: ____________________ do you like ____________________?

M: ____________________

favorite 좋아하는 | season 계절 | spring 봄 | why 왜

TIPS Why(왜)는 이유를 물을 때 쓰는 의문사로, spring(봄)을 좋아하는 이유로 가장 적절한 것을 골라 보세요.

20

다음 대화를 듣고, 이어질 말로 알맞은 것을 고르시오. .... (　　　)

M ____________________

① I have lunch with my friend.
② I don't eat breakfast.
③ I ate some ice cream.
④ I'm eating cookies.

W: What's the matter?

M: I have a ____________________.

W: What did you ____________________?

M: ____________________

matter 일, 문제 | stomachache 복통 | eat 먹다

TIPS
- What's the matter?는 '무슨 일이야?', '어디가 아프니?' 등의 의미를 가지고 있습니다.
- 아픈 곳을 말할 때 have를 써서 표현할 수 있습니다.
  have a headache 두통이 있다
  have a toothache 치통이 있다
  have an earache 귀가 아프다

Sentence Check

● 앞에 모의고사에 나온 문장들을 잘 듣고, 한 번씩 써보세요.

01 Today is Monday. 오늘은 월요일이다.

Today is Monday.

02 Don't take pictures here, please. 여기서 사진 찍지 마세요.

03 I have a piano lesson on Thursday. 나는 목요일에 피아노 수업이 있다.

04 The toy robot is in the box. 장난감 로봇이 상자 안에 있다.

05 Let's order fried chicken. 프라이드치킨 주문하자.

06 I visit my grandmother. 나는 할머니 댁에 간다.

07 That's a good idea. 좋은 생각이다.

08 I do my homework. 나는 숙제를 한다.

09 I like swimming in the sea. 나는 바다에서 수영하는 것을 좋아한다.

10 I have a stomachache. 나는 복통이 있다.

Dialogue Check

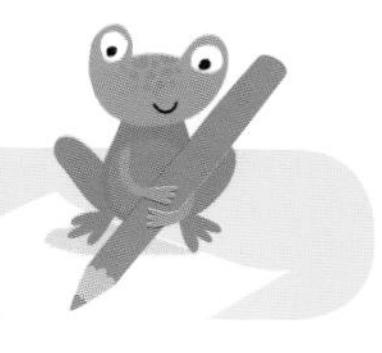

● 앞에 모의고사에 나온 대화들을 잘 듣고, 한 번씩 써보세요.

01 A Can I come in? 들어가도 되니?

B Sure. Come on in. 물론이지. 들어와.

▶ A Can I come in?

B Sure. Come on in.

02 A Is this your bicycle? 이 자전거 네 거니?

B Yes, I got it for my birthday. 응, 생일 선물로 받았어.

▶ A

B

03 A What do you do in the evening? 저녁에 뭐하니?

B I walk my dog. 개를 산책시켜.

▶ A

B

04 A Why do you like spring? 왜 봄을 좋아해?

B I can see many beautiful flowers. 나는 많은 꽃을 볼 수 있어.

▶ A

B

05 A What did you eat? 무엇을 먹었니?

B I ate some ice cream. 아이스크림을 좀 먹었어.

▶ A

B

Chapter

08 Warm-up

학습일	월 일	부모님 확인		점수	

Step 1 Theme Words 셀 수 없는 명사

	water	물		milk	우유
	salt	소금		sugar	설탕
	bread	빵		money	돈

Step 2 Expressions

● 영어에는 숫자와 함께 쓸 수 없는 '셀 수 없는 명사'가 있습니다. 셀 수 없는 명사 앞에는 a(an)를 붙일 수 없고, 단어 끝에 -(e)s를 붙일 수도 없습니다. 하지만 '약간의', '조금의' 의미를 지닌 some은 셀 수 없는 명사 앞에 붙여서 쓸 수 있습니다.

some + 셀 수 없는 명사

· **some cheese** 약간의 치즈

I have some cheese. 나는 치즈가 좀 있다.

· **some homework** 약간의 숙제

I have some homework. 나는 숙제가 좀 있다.

Tips

▶ some은 '약간의'라는 의미로 복수명사 앞에도 물론 쓸 수 있습니다. 또한 같은 의미를 지닌 any는 주로 부정문이나 의문문에 사용합니다.
I have some cookies. 나는 쿠키가 약간 있다.
I don't have any water. 나는 물이 조금도 없다.
Do you have any money? 너는 돈이 좀 있니?

Step 3 Dialogues

● some은 주로 긍정문에 쓰이지만 상대방에게 음식을 권하거나 무엇을 부탁할 때에는 의문문에도 사용할 수 있습니다.

Ⓐ Would you like **some water**? 물 좀 마시겠어요?
Ⓑ Yes, please. 예, 주세요.

Practice

● some을 이용해서 음식을 권유하는 문장을 말해 보세요.

Would you like **some tea**? 차 좀 마시겠어요?
Would you like **some cookies**? 쿠키 좀 드시겠어요?

Word Preview

● 문제에 등장하는 단어들을 듣고, 미리 한 번씩 써보세요.

01	giant	커다란	
03	tomorrow	내일	
05	photo	사진	
07	toothpaste	치약	
09	now	지금	
11	weather	날씨	
13	birthday	생일	
15	fight	싸움	
17	straight	곧장	
19	park	공원	

02	gym	체육관	
04	phone	전화기	
06	shampoo	샴푸	
08	firefighter	소방관	
10	basketball	농구	
12	angry	화난	
14	watch	보다	
16	kind	종류	
18	block	블록	
20	dentist	치과의사	

8회 영어 듣기 모의고사

학습일 월 일 부모님 확인 점수

1

다음을 듣고, 첫소리가 다른 낱말을 고르시오. .... (　　　)

① ② ③ ④

2

다음을 듣고, 들려주는 낱말의 첫소리를 고르시오. .... (　　　)

_omorrow

① s　② t
③ r　④ k

3

다음을 듣고, 단어 카드와 일치하는 낱말을 고르시오. .... (　　　)

① ② ③ ④

4

다음을 듣고, 욕실용품이 아닌 것을 고르시오. .... (　　　)

① ② ③ ④

5

다음 낱말을 듣고, 알맞은 뜻을 고르시오. .... (　　　)

① 의사　② 화재
③ 소방관　④ 소방차

6

다음 들려주는 문장이 쓰이는 경우를 고르시오. .... (　　　)

① 시간을 물을 때
② 요일을 물을 때
③ 장소를 물을 때
④ 생일을 물을 때

7

다음을 듣고, 설명과 일치하는 그림을 고르시오. ··································· (　　　)

① ② ③ ④

8

다음 그림을 보고, 여자가 할 말로 알맞은 것을 고르시오. ····························· (　　　)

① ② ③ ④

9

다음을 듣고, 그림과 일치하는 설명을 고르시오. ··································· (　　　)

① ② ③ ④

10

다음을 듣고, 책상 위에 책이 몇 권 있는지 고르시오. ································ (　　　)

① 3권　② 4권
③ 5권　④ 6권

11

다음 대화를 듣고, 오늘의 날씨로 가장 알맞은 것을 고르시오. ························ (　　　　)

①   

② 

③ 

④ 

12

다음 대화를 듣고, 남자 아이의 장래 희망을 고르시오. ································ (　　　　)

① 

② 

③ 

④ 

13

다음 대화를 듣고, 여자 아이 모습과 일치하는 그림을 고르시오. ······················ (　　　　)

① 

② 

③ 

④ 

14

다음 대화를 듣고, 남자 아이의 생일이 언제인지 고르시오. ···························· (　　　　)

① 내일　　② 다음 주 금요일

③ 오늘　　④ 다음 주 화요일

15

다음 대화를 듣고, 대화가 이루어지는 장소를 고르시오. ······························ (　　　　)

① 학교　　② 빵집

③ 꽃 가게　　④ 은행

16

다음 그림을 보고, 그림과 일치하는 대화를 고르시오. .... (　　　)

① ② ③ ④

17

다음을 듣고, 이어질 말로 적절하지 않은 것을 고르시오. .... (　　　)

M ________________________________

① ② ③ ④

18

다음을 듣고, 이어질 말로 알맞은 것을 고르시오. .... (　　　)

W ________________________________

① ② ③ ④

19

다음 대화를 듣고, 이어질 말로 알맞은 것을 고르시오. .... (　　　)

W ________________________________

① I have two brothers.
② I have some books.
③ I have an English class.
④ I have to do my homework.

20

다음 대화를 듣고, 이어질 말로 알맞은 것을 고르시오. .... (　　　)

M ________________________________

① It's Thursday.
② I like Korean food.
③ I like soccer.
④ I have a toothache.

8회 Dictation 영어 듣기 모의고사

보통 속도

빠른 속도

정답 및 해석 p. 16

학습일 월 일 부모님 확인 점수

● 잘 듣고, 빈칸에 알맞은 말을 쓰세요.

1

다음을 듣고, 첫소리가 다른 낱말을 고르시오. ( )

① ② ③ ④

❶ W: ______________________

❷ W: giant

❸ W: ______________________

❹ W: gym

yellow 노란 | giant 커다란 | giraffe 기린 | gym 체육관

TIPS 알파벳 Y y 사운드는 yesterday(어제)의 첫소리입니다.

2

다음을 듣고, 들려주는 낱말의 첫소리를 고르시오. ( )

_omorrow

① s ② t
③ r ④ k

M: ______________________

tomorrow 내일

TIPS 알파벳 T t 사운드는 talk(말하다)의 첫소리입니다.

3

다음을 듣고, 단어 카드와 일치하는 낱말을 고르시오. ( )

photo

① ② ③ ④

❶ W: ______________________

❷ W: picture

❸ W: ______________________

❹ W: potato

phone 전화기 | picture 그림 | photo 사진 | potato 감자

4

다음을 듣고, 욕실용품이 아닌 것을 고르시오. ( )

① ② ③ ④

❶ M: ______________________

❷ M: shampoo

❸ M: ______________________

❹ M: toothpaste

TIPS cellphone은 '휴대전화'로 전자제품입니다.

5

다음 낱말을 듣고, 알맞은 뜻을 고르시오. ( )

① 의사 ② 화재
③ 소방관 ④ 소방차

W: ______________________

firefighter 소방관

TIPS 보기의 영어는 각각 doctor(의사), fire(화재), fire engine(소방차)입니다.

6

다음 들려주는 문장이 쓰이는 경우를 고르시오. ( )

① 시간을 물을 때
② 요일을 물을 때
③ 장소를 물을 때
④ 생일을 물을 때

M: ______________ ______________ is it today?

day 날 | today 오늘

TIPS What day is it today?(오늘 무슨 요일이에요?)는 '요일'을 묻는 표현으로, '날짜'를 묻는 What's the date today?(오늘 며칠이야?)와 구분하세요.

7

다음을 듣고, 설명과 일치하는 그림을 고르시오. ( )

① ② ③ ④

B: I'm ______________ the dishes now.

wash the dishes 설거지하다 | now 지금

TIPS [be동사 + -ing] 형태는 지금 하고 있는 진행시제를 나타내며, 시간을 나타내는 부사 now와 잘 어울립니다.

8

다음 그림을 보고, 여자가 할 말로 알맞은 것을 고르시오. ( )

① ② ③ ④

❶ W: Happy Christmas!

❷ W: ______________ ______________ is it?

❸ W: I lost my pencil.

❹ W: ______________ ______________ is this dress?

Christmas 크리스마스 | time 시간 | lost 잃어버리다(lose)의 과거형 | dress 원피스

TIPS 여자가 옷을 보면서 점원에게 물어볼 수 있는 표현으로 어울리는 것을 고르세요.

9

다음을 듣고, 그림과 일치하는 설명을 고르시오. ·································· (　　)

① ② ③ ④

❶ M: He is __________________ to music.

❷ M: He is watching TV.

❸ M: He is __________________ basketball.

❹ M: He is going to school.

listen to music 음악을 듣다 | watch 보다 | play basketball 농구를 하다 | go to school 학교에 가다

TIPS listen to music은 '음악을 듣다'는 의미이고, 비슷한 의미로 listen to the radio(라디오를 듣다)가 있습니다.

10

다음을 듣고, 책상 위에 책이 몇 권 있는지 고르시오. ································· (　　)

① 3권　② 4권
③ 5권　④ 6권

W: There are __________________

__________________ on the desk.

five 5, 다섯 | book 책 | desk 책상

TIPS
- There is/are는 '무엇이 있다'라는 표현으로, 단수에는 is를, 복수에는 are를 사용합니다.
- 위치를 나타내는 전치사 on은 '~ 위에'라는 의미입니다.

11

다음 대화를 듣고, 오늘의 날씨로 가장 알맞은 것을 고르시오. ························· (　　)

① ② ③ ④

W: How's the __________________ today?

M: It's __________________.

weather 날씨 | today 오늘 | sunny 맑은

TIPS 날씨를 묻는 표현에는 How's the weather? 이외에 What's the weather like?로 물을 수도 있습니다.

12

다음 대화를 듣고, 남자 아이의 장래 희망을 고르시오. ································· (　　)

① ② ③ ④

G: What do you want to be in the future?

B: I want to be a __________________.

want 원하다 | in the future 장래에 | pilot 비행기 조종사

TIPS What do you want to be in the future?(너는 장래에 무엇을 하고 싶어?)는 장래에 대한 꿈을 물을 때 쓸 수 있는 표현입니다.

13

다음 대화를 듣고, 여자 아이 모습과 일치하는 그림을 고르시오. ························ (   )

①  ②  ③  ④

B: Why are you ____________________?

G: I had a ____________________ with my sister.

angry 화난 | have a fight 싸우다 | with ~와

TIPS 감정을 나타내는 형용사에는 angry(화난) 이외에도 sad(슬픈), happy(행복한), pleased(기쁜), excited(흥분한) 등이 있습니다.

14

다음 대화를 듣고, 남자 아이의 생일이 언제인지 고르시오. ························ (   )

① 내일　　② 다음 주 금요일
③ 오늘　　④ 다음 주 화요일

G: When is your birthday?

B: My birthday is ____________________

____________________.

birthday 생일 | next Friday 다음 주 금요일

TIPS next를 요일 앞에 붙여서 다음 주의 요일을 표현할 수 있습니다.
next Monday 다음 주 월요일　　next Saturday 다음 주 토요일

15

다음 대화를 듣고, 대화가 이루어지는 장소를 고르시오. ························ (   )

① 학교　　② 빵집
③ 꽃 가게　　④ 은행

W: May I help you?

B: I want to buy ____________________

____________________?

W: What kind of flowers do you want?

B: I want some ____________________

____________________.

want 원하다 | flower 꽃 | kind 종류 | rose 장미

TIPS flower, rose 등을 통해서 어디에서 일어나는 대화인지 알 수 있습니다.

16

다음 그림을 보고, 그림과 일치하는 대화를 고르시오. ……………………………… (   )

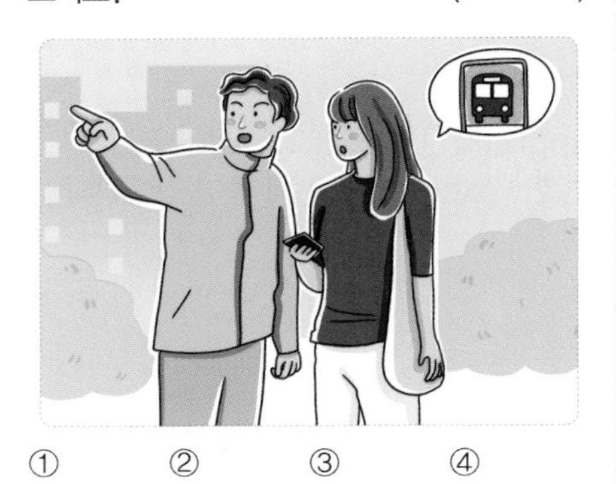

① ② ③ ④

① W: Excuse me. Where is the bus stop?

M: ________________ ________________ one block.

② W: Can I use your pencil?

M: Sure. Here you are.

③ W: What's the ________________ today?

M: It's October 10.

④ W: How are you doing?

M: I'm good, thank you.

where 어디 | bus stop 버스정류장 | straight 곧장 | block 블록 | here you are 여기 있다 | date 날짜 | October 10월

TIPS 그림에서 여자가 남자에게 버스 정류장이 어디인지 묻고 있으므로 그런 상황에서 하는 대화가 어울립니다.

17

다음을 듣고, 이어질 말로 적절하지 않은 것을 고르시오. ……………………………… (   )

M ________________

① ② ③ ④

W: ________________ ________________ to the park together.

① M: I'd like to, but I can't.

② M: Okay.

③ M: I have to buy ________________ ________________.

④ M: Sounds good.

park 공원 | together 함께 | buy 사다 | book 책

TIPS Let's는 '~하자'라는 의미로 상대방에게 제안할 때 쓰는 표현입니다. 이때 긍정의 대답에는 Sure. / Okay. / That sounds great. 등으로, 부정의 대답에는 No, let's not. / I'm sorry, but I can't. / I'd like to, but I can't. 등으로 답할 수 있습니다.

18

다음을 듣고, 이어질 말로 알맞은 것을 고르시오. ······································( )

W ______________________

① ② ③ ④

M: ______________________ is she from?

❶ W: She is very tall.

❷ W: She is ______________________

______________________.

❸ W: She lives in Seoul.

❹ W: She will go to China.

where 어디 | England 영국 | live in ~에 살다 | China 중국

TIPS Where is she from?(그녀는 어디에서 왔니?)은 출신지를 물을 때 자주 쓰는 표현입니다.

19

다음 대화를 듣고, 이어질 말로 알맞은 것을 고르시오. ································( )

W ______________________

① I have two brothers.
② I have some books.
③ I have an English class.
④ I have to do my homework.

W: Do you have any brothers or sisters?

M: Yes, I have a sister. ______________________

______________________ you?

W: ______________________

brother 형제 | sister 자매

TIPS How about you?(너는 어때?)는 상대방에 대한 질문으로, 여기서는 Do you have brothers or sisters?(너는 형제나 자매가 있니?)를 상대방에 묻고 있는 것입니다.

20

다음 대화를 듣고, 이어질 말로 알맞은 것을 고르시오. ································( )

M ______________________

① It's Thursday.
② I like Korean food.
③ I like soccer.
④ I have a toothache.

W: ______________________ are you going?

M: I'm going to the ______________________.

W: Why?

M: ______________________

where 어디 | go to the dentist 치과에 가다 | why 왜

TIPS go to the dentist는 '치과에 가다'라는 의미로 치과에 가는 이유를 골라 보세요.

8 회 Sentence Check

● 앞에 모의고사에 나온 문장들을 잘 듣고, 한 번씩 써보세요.

01 What day is it today? 오늘 무슨 요일이야?

What day is it today?

02 I'm washing the dishes now. 나는 지금 설거지를 하고 있다.

03 Happy Christmas! 즐거운 크리스마스!

04 He is listening to music. 그는 음악을 듣고 있다.

05 There are five books on the desk. 책상 위에 책이 다섯 권 있다.

06 When is your birthday? 네 생일이 언제니?

07 I want some red roses. 빨간 장미를 좀 원해요.

08 Let's go to the park together. 함께 공원에 가자.

09 She is from England. 그녀는 영국에서 왔다.

10 My birthday is next Friday. 내 생일은 다음 주 금요일이다.

● 앞에 모의고사에 나온 대화들을 잘 듣고, 한 번씩 써보세요.

01
A Why are you angry? 왜 화가 났니?
B I had a fight with my sister. 언니와 싸웠어.
▶ **A** Why are you angry?
B I had a fight with my sister.

02
A Excuse me. Where is the bus stop? 실례합니다. 버스정류장이 어디죠?
B Go straight one block. 한 블록 죽 가세요.
▶ **A**
B

03
A What do you want to be in the future? 장래에 뭐가 되고 싶니?
B I want to be a pilot. 나는 비행기 조종사가 되고 싶어.
▶ **A**
B

04
A Do you have any brothers or sisters? 너는 형제나 자매가 있니?
B Yes, I have a sister. 응, 나는 언니가 있어.
▶ **A**
B

05
A Where are you going? 어디 가고 있니?
B I'm going to the dentist. 나는 치과에 가고 있어.
▶ **A**
B

Chapter 09 Warm-up

학습일	월 일	부모님 확인		점수	

Step 1 Theme Words 위치 전치사

	on	~ 위에		under	~ 아래에
	between	~ 사이에		in front of	~ 앞에
	next to	~ 옆에		behind	~ 뒤에

Step 2 Expressions

● 앞에서 장소를 표현할 때 사용하는 위치 전치사 in을 잠깐 살펴보았는데, 이외에도 위치 전치사는 명사 앞에서 사물의 구체적인 위치를 표현해 줍니다. '전치사'라는 말이 '앞에 놓인 말'이라는 의미로 명사 앞에 위치합니다.

위치 전치사 + 명사

- **on the box** 상자 위에
  There is a cat on the box. 고양이가 상자 위에 있다.
- **between two boxes** 두 상자들 사이에
  There is a cat between two boxes.
  고양이가 두 상자들 사이에 있다.

Tips

▶ There is/are는 '무엇이 있다'라는 표현으로, be동사 다음에 오는 명사의 수에 따라서 단수에는 is를, 복수에는 are를 사용합니다.
There is a cat on the box.
고양이가 상자 위에 있다.
There are cats on the box.
고양이들이 상자 위에 있다.

Step 3 Dialogues

● 위치를 묻는 의문사로는 Where을 사용합니다. 이때 위치 전치사를 이용하면 쉽게 위치를 답할 수 있습니다. 또한 의문사가 있는 의문문이므로 Yes/No로 답할 수 없습니다.

A Where is my bag? 내 가방이 어디에 있어?

B It is **on the desk.** 그것은 책상 위에 있어.

Practice

● 앞에서 배운 위치 전치사를 이용해서 질문에 답해 보세요.

It is **under the desk.** 그것은 책상 아래에 있어.

It is **in front of the door.** 그것은 문 앞에 있어.

Word Preview

● 문제에 등장하는 단어들을 듣고, 미리 한 번씩 써보세요.

01	queen	여왕		02	quiz	퀴즈	
03	gift	선물		04	shoulder	어깨	
05	week	주		06	seek	찾다	
07	second	두 번째		08	accident	사고	
09	miss	놓치다		10	food	음식	
11	glasses	안경		12	along	~을 따라	
13	beach	해변		14	no	조금의 ~도 없는	
15	noodles	국수		16	subject	과목	
17	lose	잃어버리다		18	bookstore	서점	
19	sea	바다		20	museum	박물관	

9회 영어 듣기 모의고사

학습일 월 일 부모님 확인 점수

1

다음을 듣고, 첫소리가 다른 낱말을 고르시오. ············ ( )

① ② ③ ④

2

다음을 듣고, 들려주는 낱말의 첫소리를 고르시오. ············ ( )

① s ② t
③ r ④ k

3

다음을 듣고, 단어 카드와 일치하는 낱말을 고르시오. ············ ( )

① ② ③ ④

4

다음을 듣고, 장소를 나타내는 낱말이 아닌 것을 고르시오. ············ ( )

① ② ③ ④

5

다음 낱말을 듣고, 알맞은 뜻을 고르시오. ············ ( )

① 이모 ② 여동생
③ 남동생 ④ 누나

6

다음 들려주는 문장이 쓰이는 경우를 고르시오. ············ ( )

① 시간을 물을 때
② 직업을 물을 때
③ 만났을 때
④ 길을 물을 때

7

다음을 듣고, 설명과 일치하는 그림을 고르시오. ·· (　　　)

① 

② 

③

④ 

8

다음 그림을 보고, 남자 아이가 학교에 지각한 이유로 알맞은 것을 고르시오. ······ (　　　)

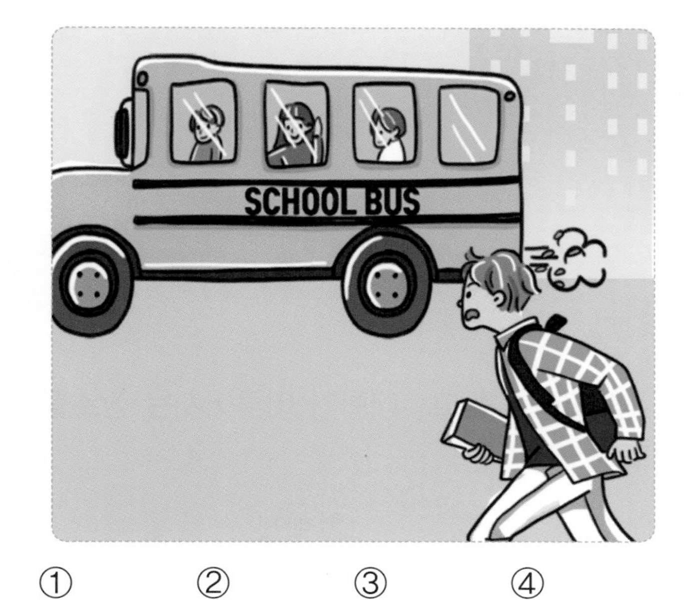

① ② ③ ④

9

다음을 듣고, 그림과 일치하는 설명을 고르시오. ·· (　　　)

① ② ③ ④

10

다음을 듣고, 무엇에 대해 설명하고 있는지 고르시오. ···································· (　　　)

① 

② 

③

④ 

11

다음 대화를 듣고, 여자가 점심에 먹을 것을 고르시오. ································· (　　　　)

① 햄버거　　② 파스타
③ 국수　　④ 스시

12

다음 대화를 듣고, 남자 아이가 좋아하는 과목을 고르시오. ···························· (　　　　)

① 
English

② 
mathematics

③ 
science

④ 
music

13

다음 대화를 듣고, 여자 아이 모습과 일치하는 그림을 고르시오. ······················ (　　　　)

① 

② 

③ 

④ 

14

다음 대화를 듣고, 남자 아이가 주말에 할 일을 고르시오. ································ (　　　　)

① 캠핑　　② 독서
③ 청소　　④ 쇼핑

15

다음 대화를 듣고, 대화가 이루어지는 장소를 고르시오. ································ (　　　　)

① 학교　　② 빵집
③ 극장　　④ 식당

16

다음 그림을 보고, 그림과 일치하는 대화를 고르시오. ·································· (　　　)

① ② ③ ④

17

다음을 듣고, 이어질 말로 알맞은 것을 고르시오. ······································· (　　　)

W ______________________________

① ② ③ ④

18

다음을 듣고, 이어질 말로 알맞은 것을 고르시오. ······································· (　　　)

M ______________________________

① ② ③ ④

19

다음 대화를 듣고, 이어질 말로 알맞은 것을 고르시오. ·································· (　　　)

W ______________________________

① Yes, it's on the sofa.
② Your pen is on the desk.
③ I have a brown bag.
④ I found my bag.

20

다음 대화를 듣고, 이어질 말로 알맞은 것을 고르시오. ·································· (　　　)

B ______________________________

① It's next to the bookstore.
② I will send a post card.
③ I love writing letters.
④ He lives far from here.

 보통 속도  빠른 속도

정답 및 해석 p. 18

9회 Dictation 영어 듣기 모의고사

학습일 월 일 부모님 확인 점수

● 잘 듣고, 빈칸에 알맞은 말을 쓰세요.

1

다음을 듣고, 첫소리가 다른 낱말을 고르시오. ( )

① ② ③ ④

❶ W: queen

❷ W: ____________________

❸ W: quiz

❹ W: ____________________

queen 여왕 | quiet 조용한 | quiz 퀴즈 | gift 선물

TIPS 알파벳 G g 사운드는 girl(소녀)의 첫소리입니다.

2

다음을 듣고, 들려주는 낱말의 첫소리를 고르시오. ( )

_houlder

① s ② t
③ r ④ k

M: ____________________

shoulder 어깨

TIPS 알파벳 S s 사운드는 song(노래)의 첫소리입니다.

3

다음을 듣고, 단어 카드와 일치하는 낱말을 고르시오. ( )

weekend

① ② ③ ④

❶ W: ____________________

❷ W: week

❸ W: seek

❹ W: ____________________

weekend 주말 | week 주 | seek 찾다 | second 두 번째

TIPS week는 '한 주'를 말하며, end(끝)가 붙은 weekend는 '주말'을 의미합니다.

4

다음을 듣고, 장소를 나타내는 낱말이 아닌 것을 고르시오. ....( )

① ② ③ ④

❶ M: hospital

❷ M: ______________________

❸ M: ______________________

❹ M: bakery

hospital 병원 | **school** 학교 | **sugar** 설탕 | **bakery** 빵집

TIPS sugar는 '설탕'으로 알갱이가 많아서 셀 수 없는 명사입니다.

5

다음 낱말을 듣고, 알맞은 뜻을 고르시오. ....( )

① 이모 ② 여동생
③ 남동생 ④ 누나

W: ______________________ sister

younger sister 여동생

TIPS 가족을 나타내는 명사에 younger(더 어린), older(더 나이 든)를 붙여서 복합명사를 만들 수 있습니다.

older brother 형, 오빠 older sister 누나, 언니
younger brother 남동생 younger sister 여동생

6

다음 들려주는 문장이 쓰이는 경우를 고르시오. ....( )

① 시간을 물을 때
② 직업을 물을 때
③ 만났을 때
④ 길을 물을 때

M: ________________ does he do?

what 무엇 | **do** 하다

TIPS What does he do?(그는 무슨 일을 하니?)는 직업을 물을 때 사용하는 표현입니다. 이외에도 What does he do for a living? (그는 생계를 위해서 무슨 일을 하니?)이라고 물을 수도 있습니다.

7

다음을 듣고, 설명과 일치하는 그림을 고르시오. ....( )

① ②
③ ④

W: My cat is ________________ the ________________.

on ~ 위에 | **sofa** 소파

TIPS on은 위치를 나타내는 전치사로 이외에도 다음과 같은 것들이 있습니다.

under ~ 아래에 in ~ 안에
in front of ~ 앞에 next to ~ 옆에
behind ~ 뒤에

8

다음 그림을 보고, 남자 아이가 학교에 지각한 이유로 알맞은 것을 고르시오. …… (　　　)

① ② ③ ④

❶ B: I __________ __________ late.

❷ B: I had a car accident.

❸ B: I __________ the school bus.

❹ B: I lost my bag.

get up 일어나다 | late 늦게 | accident 사고 | miss 놓치다 | school bus 스쿨버스 | bag 가방

TIPS 남자 아이가 스쿨버스를 쫓아서 뛰어가는 상황에 어울리는 이유를 찾아보세요

9

다음을 듣고, 그림과 일치하는 설명을 고르시오. …………………………… (　　　)

① ② ③ ④

❶ W: The woman is drinking water.

❷ W: The woman is __________ in the sea.

❸ W: The woman is wearing glasses.

❹ W: The woman is __________ __________ the beach.

drink 마시다 | water 물 | sea 바다 | wear 입다, 쓰다 | glasses 안경 | walk 걷다 | along ~을 따라

TIPS [be동사 + -ing] 형태는 지금 하고 있는 진행시제를 나타냅니다. 그림에서는 여자가 해변을 따라 걷고 있습니다.

10

다음을 듣고, 무엇에 대해 설명하고 있는지 고르시오. ………………………… (　　　)

①　②

③　④

M: This is an animal. This is long and has __________ __________.

animal 동물 | long 긴 | no 조금의 ~도 없는 | leg 다리

TIPS 다리가 없는 긴 동물을 고르세요.

11

다음 대화를 듣고, 여자가 점심에 먹을 것을 고르시오. ……………………………… (　　　)

① 햄버거　　② 파스타
③ 국수　　④ 스시

M: What do you want to eat for lunch?

W: I want to have ________________.

eat 먹다 | lunch 점심(식사) | noodles 국수

TIPS 동사 have는 다양한 의미를 지니고 있습니다. 여기서는 음식 앞에 와서 '먹다'라는 의미를 지닙니다.

12

다음 대화를 듣고, 남자 아이가 좋아하는 과목을 고르시오. ………………………… (　　　)

① English　　② mathematics
③ science　　④ music

G: What is your favorite ________________?

B: My favorite subject is ________________.
I love singing.

favorite 좋아하는 | subject 과목 | music 음악

TIPS 단어 subject(과목)와 music(음악)을 들었다면 풀 수 있는 문제입니다.

13

다음 대화를 듣고, 여자 아이 모습과 일치하는 그림을 고르시오. …………………… (　　　)

①　②　③　④

B: You ______________ ______________.
What's the matter?

G: I lost my bike.

look sad 슬퍼 보이다 | matter 일, 문제 | lost 잃어버리다(lose)의 과거형

TIPS [look + 감정을 나타내는 형용사] 형태로 사용해서 '~해 보이다'라고 표현할 수 있습니다.
look happy 행복해 보이다　　look excited 흥분해 보이다

14

다음 대화를 듣고, 남자 아이가 주말에 할 일을 고르시오. ………………………………… (　　　)

① 캠핑　　② 독서
③ 청소　　④ 쇼핑

G: What are you going to do this weekend?

B: I'm going to ________________ home and ________________ books.

weekend 주말 | stay 머무르다 | red 읽다

TIPS [be going to + 동사원형]은 가까운 장래에 할 일을 말할 때 쓰는 표현입니다. 여기서는 stay(머무르다)와 read(읽다)를 들었다면 쉽게 풀 수 있는 문제입니다.

15

다음 대화를 듣고, 대화가 이루어지는 장소를 고르시오. ································ (   )

① 학교　　② 빵집
③ 극장　　④ 식당

W: How is the food?

M: The ________________ here is great.

I want to visit this ________________ again.

food 음식 | here 여기 | great 훌륭한 | visit 방문하다 | restaurant 식당 | again 다시

TIPS How is the food?는 '음식은 어때?'라는 의미로, restaurant(식당)을 들었다면 어디에서 일어나는 대화인지 쉽게 풀 수 있습니다.

16

다음 그림을 보고, 그림과 일치하는 대화를 고르시오. ································ (   )

9 September 20

①　②　③　④

❶ W: When does the museum open?

M: It opens at 9 o'clock.

❷ W: When do you take a walk?

M: I usually take a walk after dinner.

❸ W: ________________ is your birthday?

M: It's ________________ 20.

❹ W: ________________ is your sister?

M: Over there.

museum 박물관 | open 열다 | take a walk 산책하다 | usually 보통 | after dinner 저녁식사 후에 | birthday 생일 | September 9월

TIPS 의문사 when은 '때'를 물을 때, where는 '장소'를 물을 때 사용합니다. 여기서는 달력에 표시된 날짜가 힌트입니다.

17

다음을 듣고, 이어질 말로 알맞은 것을 고르시오. ································ (   )

W ________________

①　②　③　④

M: What's the ________________ like today?

❶ W: It's far from here.

❷ W: It's ________________.

❸ W: It's 7 o'clock.

❹ W: It's Tuesday.

what 어떤, 무슨 | far (거리가) 먼 | cloudy 흐린

TIPS
- What's the weather like?(날씨가 어때?)는 날씨를 묻는 표현으로 How's the weather?로도 물을 수도 있습니다.
- 대답으로 가능한 날씨 표현에는 cloudy(흐린) 외에도 windy(바람 부는), rainy(비 오는), sunny(맑은), snowy(눈이 오는), foggy(안개 낀), stormy(폭풍의) 등이 있습니다.

18

다음을 듣고, 이어질 말로 알맞은 것을 고르시오. ( )

M ______________________

① ② ③ ④

W: ______________ do you live?

❶ M: I want to visit Korea.

❷ M: I don't have a computer.

❸ M: I ______________ ______________ Incheon.

❹ M: He is a high school student.

where 어디 | live 살다 | visit 방문하다 | high school 고등학교

TIPS 의문사 Where로 묻는 질문에는 Yes/No로 대답할 수 없습니다. 또한 live in은 '~에 살다'라는 의미입니다.

19

다음 대화를 듣고, 이어질 말로 알맞은 것을 고르시오. ( )

W ______________________

① Yes, it's on the sofa.
② Your pen is on the desk.
③ I have a brown bag.
④ I found my bag.

W: What are you ______________ ______________?

M: I'm looking for my bag. ______________ you ______________ it?

W: ______________________

look for ~을 찾다 | bag 가방 | see 보다 | found 찾다(find)의 과거형

TIPS Did 의문문의 Do 의문문의 과거로 대답도 Yes/No로 해야 해야 합니다.

20

다음 대화를 듣고, 이어질 말로 알맞은 것을 고르시오. ( )

B ______________________

① It's next to the bookstore.
② I will send a post card.
③ I love writing letters.
④ He lives far from here.

G: What are you going to do after school?

B: I will ______________ ______________ the post office.

G: ______________ is the post office?

B: ______________________

after school 방과 후에 | post office 우체국 | where 어디 | bookstore 서점

TIPS Where is the post office?는 '우체국이 어디에 있는데?'라는 질문으로, 위치를 나타내는 전치사를 이용해서 답할 수 있습니다.

9 회 Sentence Check

● 앞에 모의고사에 나온 문장들을 잘 듣고, 한 번씩 써보세요.

01 I had a car accident. 나는 교통사고가 났다.

I had a car accident.

02 I missed the school bus. 나는 학교버스를 놓쳤다.

03 The woman is walking along the beach. 여자가 해변을 따라 걷고 있다.

04 My favorite subject is music. 내가 좋아하는 과목은 음악이다.

05 I lost my bike. 나는 내 자전거를 잃어버렸다.

06 This is long and has no legs. 이것은 길고 다리가 없다.

07 I want to visit this restaurant again. 나는 이 식당을 다시 방문하고 싶다.

08 I usually take a walk after dinner. 나는 보통 저녁 먹고 산책한다.

09 My cat is on the sofa. 내 고양이는 소파 위에 있다.

10 He is a high school student. 그는 고등학교 학생이다.

9회 Dialogue Check

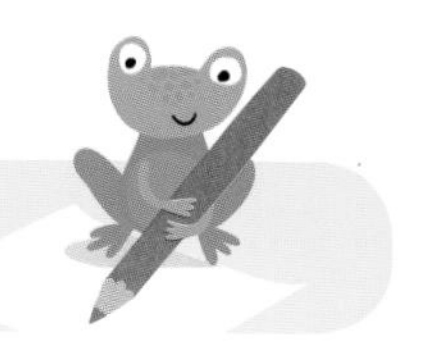

● 앞에 모의고사에 나온 대화들을 잘 듣고, 한 번씩 써보세요.

01
A What are you going to do this weekend? 이번 주말에 뭐할 거야?
B I'm going to stay home and read books. 집에 있으면서 책을 읽을 거야.

▶ A What are you going to do this weekend?
B I'm going to stay home and read books.

02
A How is the food? 음식은 어때?
B The food here is great. 여기 음식은 맛있어.

▶ A
B

03
A When is your birthday? 네 생일이 언제야?
B It's September 20. 9월 20일이야.

▶ A
B

04
A What's the weather like today? 오늘 날씨가 어때?
B It's cloudy. 흐려.

▶ A
B

05
A Where is the post office? 우체국이 어디야?
B It's next to the bookstore. 서점 옆에 있어.

▶ A
B

Chapter 10 Warm-up

학습일 월 일 부모님 확인 점수

Step 1 Theme Words 길 안내

	go	가다		straight	곧장
	back	뒤로		turn	돌다
	right	오른쪽		left	왼쪽

Step 2 Expressions

● 길을 묻는 사람에게 길을 안내할 때 사용하는 몇몇 표현들이 있습니다. 주로 동사 go와 turn을 사용하는 기본 표현들만 익히면 쉽게 길 안내를 할 수 있습니다.

go / turn + 방향을 나타내는 단어

· **go straight** 곧장 가다

Go straight one block. 한 블록 곧장 가세요.

· **turn right** 오른쪽으로 돌다

Turn right at the corner. 모퉁이에서 오른쪽으로 도세요.

Tips

▶ 길을 안내해 주는 표현으로는 다음과 같은 것들도 있습니다.
go past ~을 지나가다
cross the street 길을 건너다
go down the road 길을 따라 가다

Step 3 Dialogues

● 누군가 장소를 묻는 의문사 Where를 사용해서 길을 물어본다면, 앞에서 배운 길 안내 표현을 이용해서 친절하게 대답해 주세요.

Ⓐ Excuse me, **where** is the bookstore? 실례지만, 서점이 어디에 있죠?

Ⓑ Just **go straight**. It's next to the bakery. 그냥 곧장 가세요. 빵집 옆에 있어요.

Practice

● 앞에서 배운 길 안내 표현을 이용해서 답해 보세요.

Go straight down this way. 이쪽으로 쭉 내려가세요.

Turn right at the first corner. 첫 번째 모퉁이에서 오른쪽으로 도세요.

Word Preview

● 문제에 등장하는 단어들을 듣고, 미리 한 번씩 써보세요.

01	yawn	하품하다	
03	dream	꿈	
05	glue	풀	
07	north	북쪽	
09	subject	과목	
11	river	강	
13	stripe	줄무늬	
15	corner	모퉁이	
17	parents	부모	
19	cousin	사촌	

02	yell	소리 지르다	
04	blow	불다	
06	south	남쪽	
08	east	동쪽	
10	dive	다이빙하다	
12	skin	껍질	
14	juicy	즙이 많은	
16	yesterday	어제	
18	right	오른쪽	
20	tired	피곤한	

10회 영어 듣기 모의고사

학습일 월 일 부모님 확인 점수

1

다음을 듣고, 첫소리가 다른 낱말을 고르시오. ....( )

① ② ③ ④

2

다음을 듣고, 들려주는 낱말의 첫소리를 고르시오. ....( )

① b ② d
③ t ④ k

3

다음을 듣고, 단어 카드와 일치하는 낱말을 고르시오. ....( )

① ② ③ ④

4

다음을 듣고, 방향을 나타내는 말이 아닌 것을 고르시오. ....( )

① ② ③ ④

5

다음 낱말을 듣고, 알맞은 뜻을 고르시오. ....( )

① 과목 ② 제목
③ 학교 ④ 주제

6

다음 들려주는 문장이 쓰이는 경우를 고르시오. ....( )

① 날짜를 물을 때
② 직업을 물을 때
③ 나이를 물을 때
④ 길을 물을 때

7

다음을 듣고, 설명과 일치하는 그림을 고르시오. ……………………………………( )

① 
② 
③ 
④ 

8

다음 그림을 보고, 남자 아이가 찾고 있는 것을 고르시오. ……………………………( )

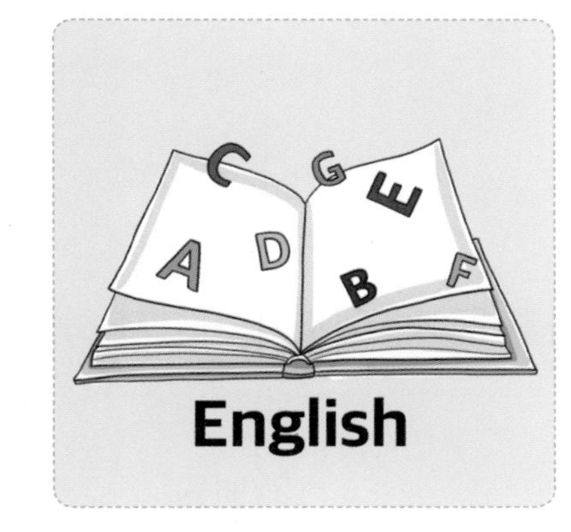

① ② ③ ④

9

다음을 듣고, 그림과 일치하는 설명을 고르시오. ……………………………………( )

① ② ③ ④

10

다음을 듣고, 무엇에 대해 설명하고 있는지 고르시오. ………………………………( )

① 
② 
③ 
④ 

11

다음을 듣고, 남자가 어제 본 것을 고르시오. ....( )

① 액션 영화
② 농구 경기
③ 야구 경기
④ 드라마

12

다음 대화를 듣고, 남자 아이의 생일이 언제인지 고르시오. ....( )

① Saturday March 5

② Monday March 7

③ 

④ 

13

다음 대화를 듣고, 여자 아이 모습과 일치하는 그림을 고르시오. ....( )

①
②
③
④

14

다음 대화를 듣고, 남자 아이가 어제 간 곳을 고르시오. ....( )

① 동물원
② 서점
③ 도서관
④ 영화관

15

다음 대화를 듣고, 여자가 가고자 하는 장소를 고르시오. ....( )

① 은행
② 병원
③ 극장
④ 도서관

16

다음 그림을 보고, 그림과 일치하는 대화를 고르시오. ································ (　　　)

① ② ③ ④

17

다음을 듣고, 이어질 말로 알맞은 것을 고르시오. ······································ (　　　)

W ______________________________

① ② ③ ④

18

다음을 듣고, 이어질 말로 적절하지 않은 것을 고르시오. ······························ (　　　)

M ______________________________

① ② ③ ④

19

다음 대화를 듣고, 이어질 말로 알맞은 것을 고르시오. ································ (　　　)

W ______________________________

① I want to eat some ice cream.
② I studied math until midnight.
③ I love chocolate.
④ I'm playing the piano.

20

다음 대화를 듣고, 이어질 말로 알맞은 것을 고르시오. ································ (　　　)

B ______________________________

① Let's play soccer after school.
② It's cold outside.
③ Yes, I want to go there.
④ Let's just watch a movie on TV.

10회 Dictation 영어 듣기 모의고사

학습일 월 일 부모님 확인 점수

● 잘 듣고, 빈칸에 알맞은 말을 쓰세요.

1

다음을 듣고, 첫소리가 다른 낱말을 고르시오. ( )

① ② ③ ④

❶ W: yawn

❷ W: ______________________

❸ W: ______________________

❹ W: yellow

yawn 하품하다 | yell 소리 지르다 | circus 서커스 | yellow 노란색

TIPS 알파벳 C c 사운드는 car(자동차)의 첫소리입니다.

2

다음을 듣고, 들려주는 낱말의 첫소리를 고르시오. ( )

① b ② d
③ t ④ k

M: ______________________

dream 꿈

TIPS 알파벳 D d 사운드는 door(문)의 첫소리입니다.

3

다음을 듣고, 단어 카드와 일치하는 낱말을 고르시오. ( )

① ② ③ ④

❶ W: blow

❷ W: ______________________

❸ W: break

❹ W: ______________________

blow 불다 | brown 갈색 | break 깨다 | glue 풀

TIPS brown은 '색'을 나타내는 단어로 명사와 형용사로 모두 사용이 가능합니다. 이외에도 색을 나타내는 단어에는 white(흰색), black(검은색), green(초록색), pick(분홍색) 등이 있습니다.

4

다음을 듣고, 방향을 나타내는 말이 아닌 것을 고르시오. .... (　　　)

① ② ③ ④

❶ M: south

❷ M: ______________________

❸ M: east

❹ M: ______________________

south 남쪽 | north 북쪽 | east 동쪽 | turn 돌다

TIPS 동서남북 방향을 나타내는 단어는 east(동쪽), west(서쪽), south(남쪽), north(북쪽)입니다.

5

다음 낱말을 듣고, 알맞은 뜻을 고르시오. .... (　　　)

① 과목 ② 제목
③ 학교 ④ 주제

W: ______________________

subject 과목

TIPS 보기에 제시된 단어는 영어로 title(제목), school(학교), topic(주제)입니다.

6

다음 들려주는 문장이 쓰이는 경우를 고르시오. .... (　　　)

① 날짜를 물을 때
② 직업을 물을 때
③ 나이를 물을 때
④ 길을 물을 때

M: ______________ ______________ are you?

how 어떻게 | old 나이 든

TIPS How old are you?는 '몇 살이에요?'라는 의미로 나이를 물을 때 사용하는 표현입니다. years old를 이용해서 I'm twelve years old.(12살이에요.) 등으로 대답합니다.

7

다음을 듣고, 설명과 일치하는 그림을 고르시오. .... (　　　)

① ② ③ ④

W: She is wearing a ______________ ______________.

wear 입다 | red 빨간 | dress 원피스

TIPS 동사 wear는 옷이나 모자, 구두 등을 입거나 쓰거나 신는다고 할 때 모두 사용할 수 있으며, 장식물 등을 몸에 달거나 찬다고 할 때도 쓸 수 있습니다.

wear a shirt 셔츠를 입다　　wear glasses 안경을 끼다
wear shoes 신발을 신다　　wear earrings 귀걸이를 달다

8

다음 그림을 보고, 남자 아이가 찾고 있는 것을 고르시오. ·····························( )

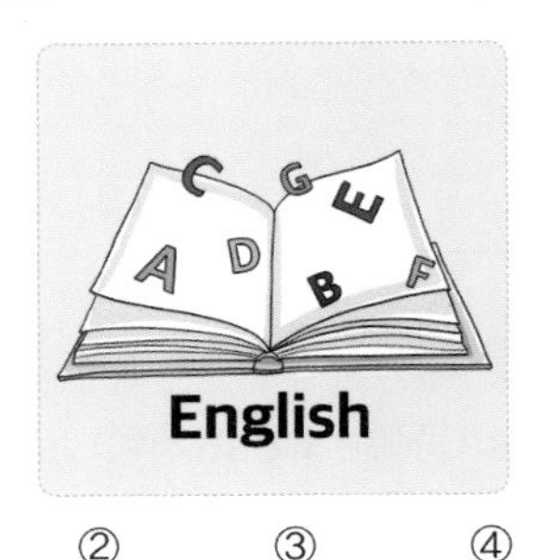

① ② ③ ④

❶ B: I'm looking for my ______________________ ______________________.

❷ B: I'm looking for my bag.

❸ B: I'm looking for my umbrella.

❹ B: I'm looking for my ______________________.

look for ~을 찾다 | English book 영어책 | bag 가방 | umbrella 우산 | shoes 신발

TIPS 언어를 쓸 때는 첫 글자를 대문자로 씁니다.
English 영어 French 프랑스어 Korean 한국어
Chinese 중국어 Japanese 일본어

9

다음을 듣고, 그림과 일치하는 설명을 고르시오. ·····································( )

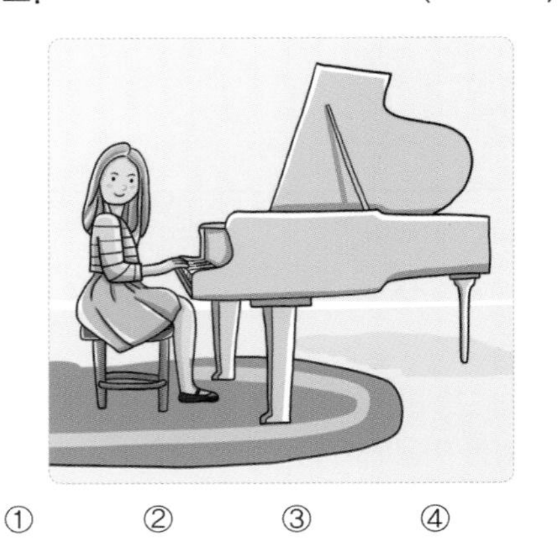

① ② ③ ④

❶ M: Amy can play the guitar.

❷ M: Amy can ______________________ the ______________________.

❸ M: Amy can dive off a high place.

❹ M: Amy can ______________________ in the river.

can ~할 수 있다 | play the guitar 기타를 치다 | play the piano 피아노를 치다 | dive 다이빙하다 | off ~에서 | high place 높은 곳 | river 강

TIPS can은 '~할 수 있다'라는 의미로 가능과 능력을 나타내는 조동사입니다. can 다음에는 반드시 동사원형이 와야 합니다.

10

다음을 듣고, 무엇에 대해 설명하고 있는지 고르시오. ·································( )

① 
② 
③ 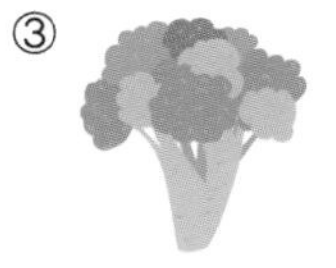
④ 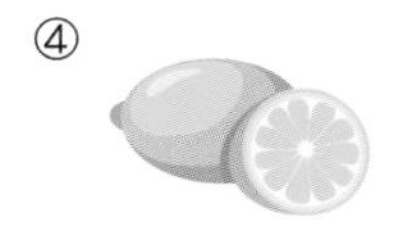

W: This is a large ______________________ fruit. This has a ______________________ skin with ______________________ stripes. This is sweet and juicy.

large 커다란 | round 둥근 | fruit 과일 | green 초록의 | skin 껍질 | black 검은 | stripe 줄무늬 | sweet 달콤한 | juicy 즙이 많은

TIPS 둥글고 큰 과일로 검은 줄무늬가 있는 초록색 과일을 고르세요.

11

다음을 듣고, 남자가 어제 본 것을 고르시오. ( )

① 액션 영화
② 농구 경기
③ 야구 경기
④ 드라마

M: I watched a ____________ ____________ on TV yesterday.

watch 보다 | baseball game 야구 경기 | yesterday 어제

TIPS yesterday(어제)는 과거를 나타내는 시간의 부사로 동사도 맞춰서 과거형(watched)으로 써야 합니다.

12

다음 대화를 듣고, 남자 아이의 생일이 언제인지 고르시오. ( )

① Saturday March 5
② Monday March 7
③ Saturday May 5
④ Wednesday May 30

G: When is your birthday?

B: It's on ____________, ____________ 5.

birthday 생일 | Saturday 토요일 | March 3월

TIPS 하나(one), 둘(two) 등을 나타내는 '기수'라고 하고, 첫 번째(first), 두 번째(second) 등 순서를 나타내는 수를 '서수'라고 합니다. 날짜의 '일'은 기수나 서수로 쓸 수 있으나, 서수로 읽어야 합니다.

13

다음 대화를 듣고, 여자 아이 모습과 일치하는 그림을 고르시오. ( )

① ② ③ ④

B: What's ____________?

G: I have a ____________.

wrong 잘못된 | have a headache 두통이 있다

TIPS 아픈 곳을 말할 때 have를 써서 표현할 수 있습니다.
have a headache 두통이 있다
have a toothache 치통이 있다
have an earache 귀가 아프다

14

다음 대화를 듣고, 남자 아이가 어제 간 곳을 고르시오. ( )

① 동물원 ② 서점
③ 도서관 ④ 영화관

G: What did you do ____________?

B: I went to ____________ ____________ with my parents.

yesterday 어제 | went 가다(go)의 과거형 | zoo 동물원 | parents 부모

TIPS 여기서도 시간의 부사 yesterday(어제)가 있으므로 동사도 맞춰서 과거형(went)으로 써야 합니다.

15

다음 대화를 듣고, 여자가 가고자 하는 장소를 고르시오. .... (　　　)

① 은행　　② 병원
③ 극장　　④ 도서관

W: Excuse me, where is the bank?

M: Go ____________________.

It's on your ____________________.

where 어디 | go straight 곧장 가다 | right 오른쪽

TIPS 길을 안내해 주는 표현으로는 다음과 같은 것들도 있습니다.
go straight 곧장 가다　　turn right 오른쪽으로 돌다
go past ~을 지나가다　　cross the street 길을 건너다

16

다음 그림을 보고, 그림과 일치하는 대화를 고르시오. .... (　　　)

①　②　③　④

❶ B: Where does he live?

G: He lives in England.

❷ B: Where are you ____________________?

G: I'm from ____________________.

❸ B: Where is your coat?

G: It's ________________ ________________

____________________.

❹ B: Who is she?

G: She is my cousin.

live in ~에 살다 | England 영국 | France 프랑스 | coat 코트 | cousin 사촌

TIPS Where are you from?은 '너는 어느 나라에서 왔니?'라는 의미로 출신을 묻는 질문입니다.

17

다음을 듣고, 이어질 말로 알맞은 것을 고르시오. .... (　　　)

W ____________________

①　②　③　④

M: Nice to ____________________

____________________.

❶ W: It's on the table.

❷ W: Thank you very much.

❸ W: Nice to meet you, ____________________.

❹ W: Yes, I can do it.

meet 만나다 | table 식탁 | too 역시

TIPS Nice to meet you.는 '만나서 반가워.'라는 의미로 처음 만났을 때 하는 인사말 표현입니다. 따라서 이에 대한 대답으로는 Nice to meet you, too.(나도 만나서 반가워.)가 어울립니다.

18

다음을 듣고, 이어질 말로 적절하지 않은 것을 고르시오. ································( )

M ____________________

① ② ③ ④

W: ____________________ are you doing?

❶ M: I'm good.

❷ M: Not bad.

❸ M: I'm great.

❹ M: I'm happy to ____________________
____________________.

good 좋은 | bad 나쁜 | great 훌륭한, 좋은

TIPS How are you doing?은 '잘 지내니?'라는 의미로 안부를 물을 때 쓰는 표현입니다. 이에 대해서는 I'm good.(잘 지내.) / Not bad.(나쁘지 않아.) / I'm great.(좋아.) 등으로 대답합니다. I'm happy to see you.(너를 보니 행복해.)는 만나서 반가울 때 쓸 수 있는 표현입니다.

19

다음 대화를 듣고, 이어질 말로 알맞은 것을 고르시오. ································( )

W ____________________

① I want to eat some ice cream.
② I studied math until midnight.
③ I love chocolate.
④ I'm playing the piano.

W: I'm so tired.

M: ____________________ ____________________ you do yesterday?

W: ____________________

so 무척 | tired 피곤한 | yesterday 어제 | ice cream 아이스크림 | math 수학 | until midnight 밤늦게까지 | chocolate 초콜릿

TIPS 과거 시간의 부사 yesterday(어제)를 써서 무엇을 했는지 묻고 있으므로 동사도 맞춰서 과거형으로 답해야 합니다.

20

다음 대화를 듣고, 이어질 말로 알맞은 것을 고르시오. ································( )

B ____________________

① Let's play soccer after school.
② It's cold outside.
③ Yes, I want to go there.
④ Let's just watch a movie on TV.

G: Let's go out for a walk.

B: It's ____________________.

G: Oh, no! ____________________ do you ____________________ to do?

B: ____________________

go out 나가다 | rain 비가 오다 | watch a movie 영화를 보다

TIPS 밖에 비가 오고 있으므로 안에서 할 수 있는 말하는 것이 어울립니다.

10회 Sentence Check

● 앞에 모의고사에 나온 문장들을 잘 듣고, 한 번씩 써보세요.

01 She is wearing a red dress. 그녀는 빨간 원피스를 입고 있다.

She is wearing a red dress.

02 I'm looking for my English book. 나는 내 영어책을 찾고 있다.

03 Amy can swim in the river. 에이미는 강에서 수영할 수 있다.

04 This is a large round fruit. 이것은 크고 둥근 과일이다.

05 I watched a baseball game on TV yesterday. 나는 어제 TV로 야구 경기를 봤다.

06 He lives in England. 그는 영국에서 산다.

07 I went to the zoo with my parents. 나는 부모님과 동물원에 갔다.

08 Thank you very much. 무척 감사합니다.

09 I'm happy to see you. 너를 보니 행복해.

10 I love chocolate. 나는 초콜릿을 무척 좋아한다.

10회 Dialogue Check

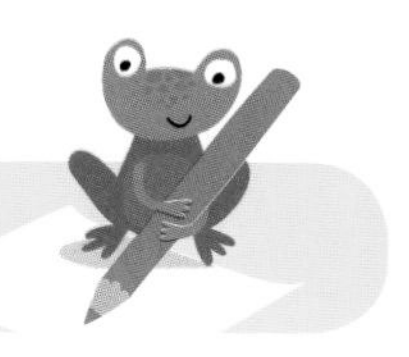

● 앞에 모의고사에 나온 대화들을 잘 듣고, 한 번씩 써보세요.

01 **A** Where is the bank? 은행이 어디 있나요?

B Go straight. It's on your right. 죽 가세요. 오른쪽에 있어요.

▶ **A** Where is the bank?

B Go straight. It's on your right.

02 **A** When is your birthday? 네 생일이 언제니?

B It's on Saturday, March 5. 5월 5일 토요일이야.

▶ **A**

B

03 **A** How are you doing? 잘 지내니?

B I'm great. 좋아.

▶ **A**

B

04 **A** What did you do yesterday? 어제 뭐했어?

B I studied math until midnight. 밤늦게까지 수학 공부했어.

▶ **A**

B

05 **A** What do you want to do? 너 뭐하고 싶어?

B Let's just watch a movie on TV. TV로 영화나 보자.

▶ **A**

B

Chapter 11 Warm-up

학습일	월 일	부모님 확인		점수	

Step 1 Theme Words 옷

	pants	바지		blue jeans	청바지
	skirt	치마		shirt	셔츠
	shorts	반바지		dress	원피스

Step 2 Expressions

● 동사 wear는 옷이나 모자, 구두 등을 입거나 쓰거나 신는다고 할 때 모두 사용할 수 있으며, 장식물 등을 몸에 달거나 찬다고 할 때도 쓸 수 있습니다.

wear + 옷

- **wear a shirt** 셔츠를 입다

  My dad is wearing a shirt.

  나의 아빠는 셔츠를 입고 계시다.

- **wear a dress** 원피스를 입다

  Alice likes wearing a dress.

  엘리스는 원피스 입는 것을 좋아한다.

Tips

▶ wear는 옷 이외에도 모자를 쓰거나, 구두를 신거나 또는 안경을 착용하고 있다고 할 때도 모두 사용할 수 있습니다.

wear a hat 모자를 쓰다

wear shoes 신발을 신다

wear glasses 안경을 착용하다

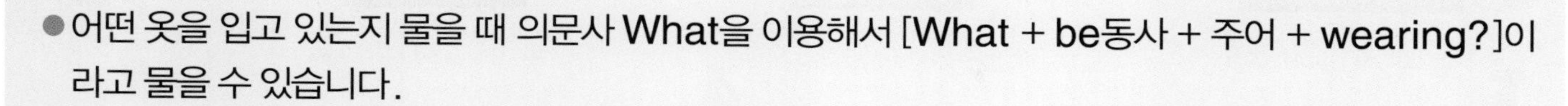

Step 3 Dialogues

● 어떤 옷을 입고 있는지 물을 때 의문사 What을 이용해서 [What + be동사 + 주어 + wearing?]이라고 물을 수 있습니다.

Ⓐ What is she **wearing**? 그녀는 무엇을 입고 있니?

Ⓑ She is wearing **blue jeans**. 그녀는 청바지를 입고 있어.

Practice

● 앞에서 배운 옷을 나타내는 단어를 이용해서 답해 보세요.

She is wearing a blue **shirt**. 그녀는 파란 셔츠를 입고 있어.

She is wearing black **shorts**. 그녀는 검은 반바지를 입고 있어.

Word Preview

● 문제에 등장하는 단어들을 듣고, 미리 한 번씩 써보세요.

01	balloon	풍선		02	grow	자라다	
03	soft	부드러운		04	shorts	반바지	
05	box	상자		06	people	사람들	
07	family	가족		08	orange	오렌지	
09	shirt	셔츠		10	need	필요하다	
11	raincoat	우비		12	feel	느끼다	
13	ski	스키 타다		14	night	밤	
15	hungry	배고픈		16	idea	생각	
17	around	~ 주위에		18	campfire	모닥불	
19	problem	문제		20	concert	콘서트	

11회 영어 듣기 모의고사

보통 속도

빠른 속도

학습일	월 일	부모님 확인		점수	

1

다음을 듣고, 들려주는 낱말의 첫소리를 고르시오. ································( )

_alloon

① b ② d
③ s ④ p

2

다음을 듣고, 단어 카드와 일치하는 낱말을 고르시오. ································( )

① ② ③ ④

3

다음을 듣고, 옷을 나타내는 낱말이 <u>아닌</u> 것을 고르시오. ································( )

① ② ③ ④

4

다음 들려주는 문장이 쓰이는 경우를 고르시오. ································( )

① 날씨를 물을 때 ② 출신지를 물을 때
③ 나이를 물을 때 ④ 길을 물을 때

5

다음을 듣고, 여자가 보고 있는 것을 고르시오. ································( )

① 
② 
③
④ 

6

다음 그림을 보고, 남자 아이의 가족 수를 바르게 설명하고 있는 것을 고르시오. ( )

① ② ③ ④

7

다음 그림을 보고, 여자가 하고 있는 것을 고르시오. ………………………………( )

① ② ③ ④

8

다음을 듣고, 남자 아이의 누나를 고르시오. ………………………………………… ( )

① ② 

③ ④ 

9

다음을 듣고, 여자가 필요한 것을 고르시오. ………………………………………( )

① 긴 양말 ② 우비
③ 우산 ④ 장화

10

다음 대화를 듣고, 남자 아이가 할 수 있는 것을 고르시오. ………………………( )

①  ② 

③  ④ 

11

다음 대화를 듣고, 여자 아이 모습과 일치하는 그림을 고르시오. ··········· (　　　)

① 
② 
③ 
④ 

12

다음 대화를 듣고, 오늘이 무슨 요일인지 고르시오. ··········· (　　　)

① 금요일　② 토요일
③ 일요일　④ 월요일

13

다음 대화를 듣고, 남자 아이가 내일 누구를 만날지 고르시오. ··········· (　　　)

① 할아버지　② 삼촌
③ 이모　④ 누나

14

다음 대화를 듣고, 남자 아이가 어제 무엇을 했는지 고르시오. ··········· (　　　)

① 여행하기　② TV 보기
③ 공부하기　④ 농구하기

15

다음 대화를 듣고, 대화가 이루어진 장소를 고르시오. ··········· (　　　)

① 학교　② 식당
③ 극장　④ 동물원

16

다음 그림을 보고, 그림과 일치하는 대화를 고르시오. ··········· (　　　)

①　②　③　④

17

다음 그림을 보고, 그림과 일치하는 설명을 고르시오. ································ (   )

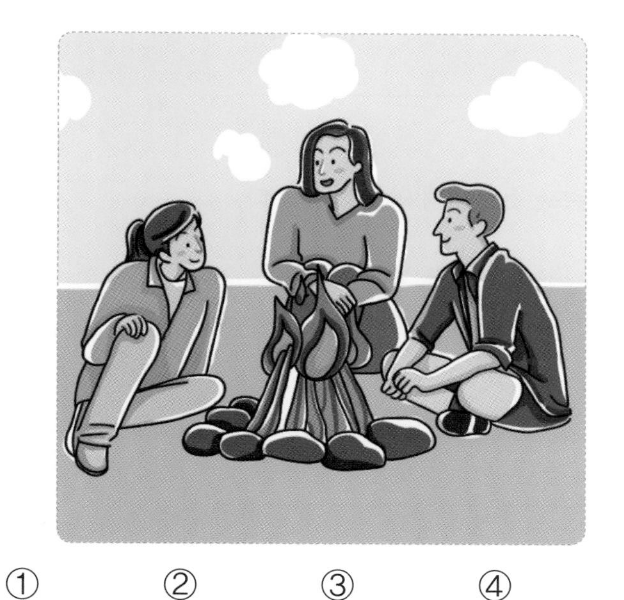

① ② ③ ④

18

다음을 듣고, 이어질 말로 알맞은 것을 고르시오. ···································· (   )

W ________________________________

① ② ③ ④

19

다음 대화를 듣고, 이어질 말로 알맞은 것을 고르시오. ································ (   )

W ________________________________

① I'm busy on Friday.
② I go swimming on Sundays.
③ It's May 15.
④ See you on Monday.

20

다음 대화를 듣고, 이어질 말로 알맞은 것을 고르시오. ································ (   )

M ________________________________

① Yes, she is.
② She is in the classroom.
③ She loves cooking.
④ She is tall and wears glasses.

보통 속도

빠른 속도

정답 및 해석 p. 22

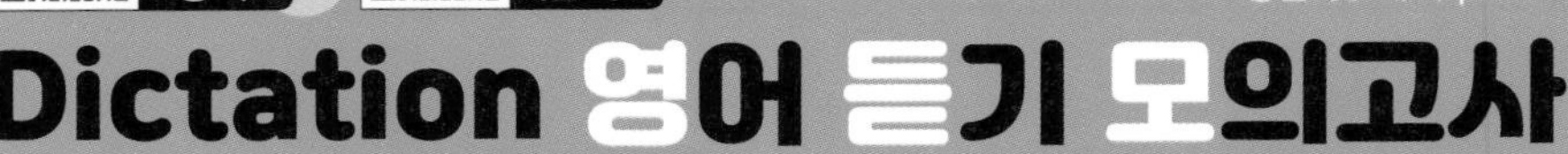

월 일 부모님 확인 점수

● 잘 듣고, 빈칸에 알맞은 말을 쓰세요.

1

다음을 듣고, 들려주는 낱말의 첫소리를 고르시오. ( )

_alloon

① b ② d
③ s ④ p

W: ______________________

balloon 풍선

TIPS 알파벳 B b 사운드는 book(책)의 첫소리입니다.

2

다음을 듣고, 단어 카드와 일치하는 낱말을 고르시오. ( )

gift

① ② ③ ④

❶ M: ______________________

❷ M: grow

❸ M: ______________________

❹ M: soft

give 주다 | grow 자라다 | gift 선물 | soft 부드러운

3

다음을 듣고, 옷을 나타내는 낱말이 아닌 것을 고르시오. ( )

① ② ③ ④

❶ W: skirt

❷ W: blue jeans

❸ W: ______________________

❹ W: ______________________

skirt 치마 | blue jeans 청바지 | shorts 반바지 | lemon 레몬

TIPS lemon(레몬)은 과일이고, 다른 단어들은 옷을 나타내는 단어들입니다.

4

다음 들려주는 문장이 쓰이는 경우를 고르시오. ( )

① 날씨를 물을 때 ② 출신지를 물을 때
③ 나이를 물을 때 ④ 길을 물을 때

M: ______________ are you from?

where 어디 | from ~로 부터

TIPS Where are you from?은 '너는 어느 나라에서 왔니?' 또는 '어디서 왔니?'라는 의미로 출신지[장소]를 물을 때 쓰는 표현입니다. 대답은 주로 국가나 도시 등을 이용해 대답합니다.
I'm from Korea. 나는 한국에서 왔어.
I'm from Boston. 나는 보스톤에서 왔어.
I'm from England. 나는 영국에서 왔어.

5

다음을 듣고, 여자가 보고 있는 것을 고르시오. ··························· (　　　)

① ② ③ ④

W: Look over there! There are ______________ ______________ in the box.

orange 오렌지 | box 상자

TIPS many는 셀 수 있는 명사 앞에 와서 '많은'이라는 의미로 쓰입니다.

6

다음 그림을 보고, 남자 아이의 가족 수를 바르게 설명하고 있는 것을 고르시오. (　　　)

① ② ③ ④

❶ B: There are ______________ ______________ in my family.

❷ B: There are three people in my family.

❸ B: There are five people in my family.

❹ B: ______________ ______________ two people in my family.

people 사람들 | family 가족

TIPS [There are + 숫자 + people in my family.]는 가족의 수를 말할 때 흔히 쓰는 표현입니다.

7

다음 그림을 보고, 여자가 하고 있는 것을 고르시오. ··························· (　　　)

① ② ③ ④

❶ W: She is taking care of a boy.

❷ W: She is taking care of a ______________.

❸ W: She is making dinner for her family.

❹ W: She is making a ______________.

take care of ~을 돌보다 | make dinner 저녁을 만들다 | make a cake 케이크를 만들다

TIPS [be동사 + -ing] 형태는 지금 하고 있는 진행시제를 나타냅니다. be동사가 현재이므로 현재 진행되고 있는 것을 말합니다.

8

다음을 듣고, 남자 아이의 누나를 고르시오. .... (　　　)

①　②

③　④

B: My sister is wearing ____________________ ____________________ and a white shirt.

wear 입다 | **blue jeans** 청바지 | **white** 하얀 | **shirt** 셔츠

TIPS 남자 아이의 누나는 청바지와 하얀 셔츠를 입고 있습니다. 동사 wear는 이처럼 '(옷 등을) 입다'는 의미로 쓰입니다.

9

다음을 듣고, 여자가 필요한 것을 고르시오. .... (　　　)

① 긴 양말　② 우비

③ 우산　④ 장화

W: It's raining now.

I need a ____________________.

rain 비 오다 | **now** 지금 | **need** 필요하다 | **raincoat** 우비

TIPS 단어 raincoat(우비)의 의미를 알면 쉽게 답을 찾을 수 있습니다.

10

다음 대화를 듣고, 남자 아이가 할 수 있는 것을 고르시오. .... (　　　)

①　②

③　④

G: Can you skate?

B: No, I can't, but I ____________________ ____________________.

can ~할 수 있다 | **skate** 스케이트 타다 | **ski** 스키 타다

TIPS can은 '~할 수 있다'라는 의미로 가능과 능력을 나타내는 조동사입니다. can 다음에는 반드시 동사원형이 와야 합니다.

11

다음 대화를 듣고, 여자 아이 모습과 일치하는 그림을 고르시오. .... (   )

① ② ③ ④

B: How are you ______________ today?

G: I'm not good. I have a ______________.

feel 느끼다 | today 오늘 | good 좋은 | have a cold 감기에 걸리다

TIPS 감기 증상을 말할 때도 have를 써서 표현할 수 있습니다.
have a runny nose 콧물이 나다
have a cough 기침을 하다
have a fever 열이 나다

12

다음 대화를 듣고, 오늘이 무슨 요일인지 고르시오. .... (   )

① 금요일 ② 토요일
③ 일요일 ④ 월요일

W: ______________ ______________ was it yesterday?

M: It was ______________.

day 날 | yesterday 어제 | Friday 금요일

TIPS What day is it?은 '요일'을 물을 때, What date is it?은 '날짜'를 물을 때 쓰는 표현입니다.

13

다음 대화를 듣고, 남자 아이가 내일 누구를 만날지 고르시오. .... (   )

① 할아버지 ② 삼촌
③ 이모 ④ 누나

G: ______________ are you going to meet tomorrow?

B: I'm going to meet my ______________.

who 누구 | meet 만나다 | tomorrow 내일 | uncle 삼촌

TIPS be going to는 가까운 장래에 계획하는 일을 말할 때 사용하는 표현으로 '~할 것이다', '~하려고 하고 있다'라는 의미입니다.

14

다음 대화를 듣고, 남자 아이가 어제 무엇을 했는지 고르시오. .... (   )

① 여행하기 ② TV 보기
③ 공부하기 ④ 농구하기

B: I'm ______________.

G: What did you do last night?

B: I ______________ ______________ until late at night.

tired 피곤한 | last night 어젯밤에 | watch 보다 | until late 늦게까지 | at night 밤에

TIPS 시간의 부사 last night(지난밤에)가 있으므로 동사도 맞춰서 과거형 (watched)으로 써야 합니다.

15

다음 대화를 듣고, 대화가 이루어진 장소를 고르시오. ( )

① 학교 ② 식당
③ 극장 ④ 동물원

G: Look over there! There are ______________.

B: Wow, they are very big. I want to

______________ ______________, too.

tiger 호랑이 | bear 곰 | too 역시, ~도

TIPS 단어 tiger(호랑이), bear(곰) 등을 통해서 어디에 있는지 유추할 수 있습니다.

16

다음 그림을 보고, 그림과 일치하는 대화를 고르시오. ( )

① ② ③ ④

❶ G: Are you okay?

B: I think I have a cold.

❷ G: Happy ______________!

B: Thank you.

❸ G: Are you ______________?

B: Yes, I am.

❹ G: Let's go swimming.

B: That's a ______________

______________.

okay 괜찮은 | have a cold 감기에 걸리다 | birthday 생일 | hungry 배고픈 | idea 생각

TIPS 그림에서 아이들이 생일을 축하하고 있습니다. 이때 어울리는 대화를 골라 보세요.

17

다음 그림을 보고, 그림과 일치하는 설명을 고르시오. ( )

① ② ③ ④

❶ M: They are watching TV.

❷ M: They are cooking food on a

______________.

❸ M: They are sleeping on the bed.

❹ M: They are ______________

______________ the campfire.

watch 보다 | cook 요리하다 | campfire 모닥불 | sleep 자다 | sit 앉다 | around ~ 주위에

TIPS 그림에서 사람들이 모닥불 주위에 앉아 있습니다.

18

다음을 듣고, 이어질 말로 알맞은 것을 고르시오. ··( )

W ______________________

① ② ③ ④

M: ______________ ______________ close the window?

❶ W: Sorry, I can't ski.

❷ W: ______________ ______________.

❸ W: I can open the window.

❹ W: Thank you.

close 닫다 | window 창문 | ski 스키를 타다 | open 열다

TIPS Would you ~?는 상대방에게 공손하게 부탁할 때 쓰는 표현으로, No problem.(물론이지.)이라고 대답하는 것이 어울립니다.

19

다음 대화를 듣고, 이어질 말로 알맞은 것을 고르시오. ··( )

W ______________________

① I'm busy on Friday.
② I go swimming on Sundays.
③ It's May 15.
④ See you on Monday.

W: Can you go to the K-pop ______________ with me?

M: ______________ is the concert?

W: ______________________________

concert 콘서트 | with ~와 함께 | when 언제 | busy 바쁜 | Friday 금요일 | Sunday 일요일 | Monday 월요일

TIPS 요일은 첫 글자를 대문자로 씁니다. 요일에 -s가 붙으면 '~마다'라는 의미가 됩니다.
Sunday 일요일 – Sundays 일요일마다

20

다음 대화를 듣고, 이어질 말로 알맞은 것을 고르시오. ··( )

M ______________________

① Yes, she is.
② She is in the classroom.
③ She loves cooking.
④ She is tall and wears glasses.

W: Is your sister in the classroom?

M: Yes, she is.

W: What does she ______________ ______________?

M: ______________________________

sister 여동생, 누나 | look like ~처럼 생기다 | classroom 교실 | glasses 안경

TIPS look like는 '~처럼 생기다'로 사람의 모습을 묘사하는 문장이 답변으로 오는 것이 어울립니다.

11회 Sentence Check

● 앞에 모의고사에 나온 문장들을 잘 듣고, 한 번씩 써보세요.

01 There are many oranges in the box. 상자에 오렌지가 많다.

There are many oranges in the box.

02 There are four people in my family. 내 가족은 4명이다.

03 She is making a cake. 그녀는 케이크를 만들고 있다.

04 My sister is wearing blue jeans. 나의 누나는 청바지를 입고 있다.

05 It's raining now. 지금 비가 오고 있다.

06 I need a raincoat. 나는 우비가 필요하다.

07 I want to see bears, too. 나도 곰을 보고 싶다.

08 I think I have a cold. 나는 감기에 걸린 것 같다.

09 They are sleeping on the bed. 그들은 침대에서 자고 있다.

10 I go swimming on Sundays. 나는 일요일마다 수영하러 간다.

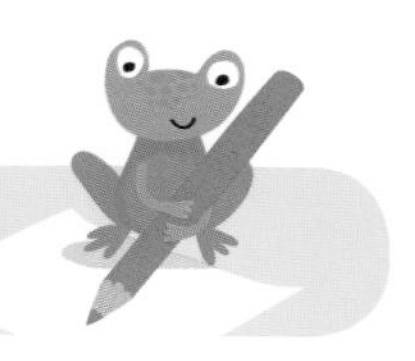

11회 Dialogue Check

● 앞에 모의고사에 나온 대화들을 잘 듣고, 한 번씩 써보세요.

01 A How are you feeling today? 오늘 기분이 어떠니?
B I'm not good. I have a cold. 안 좋아. 감기에 걸렸어.

▶ A How are you feeling today?
B I'm not good. I have a cold.

02 A Who are you going to meet tomorrow? 내일 누구를 만날 거야?
B I'm going to meet my uncle. 내 삼촌을 만날 거야.

▶ A
B

03 A What did you do last night? 지난밤에 뭐했어?
B I watched TV until late at night. 밤에 늦게까지 TV를 봤어.

▶ A
B

04 A Would you close the window? 창문을 닫아주시겠어요?
B No problem. 물론이죠.

▶ A
B

05 A What does she look like? 그녀는 어떻게 생겼어?
B She is tall and wears glasses. 그녀는 키가 크고 안경을 쓰고 있어.

▶ A
B

Chapter 12 Warm-up

학습일 월 일 부모님 확인 점수

Step 1 Theme Words 직업 II

veterinarian	수의사	
firefighter	소방관	
pilot	비행기 조종사	
police officer	경찰관	
musician	음악가	
soldier	군인	

Step 2 Expressions

● 장래 희망을 말할 때 동사 want를 사용해서 '장래에 무엇이 되고 싶다'고 표현할 수 있습니다. want는 뒤에 목적어가 오는데 여기서는 [to be a(n) + 명사] 형태로 목적어가 오는 경우를 살펴보겠습니다.

want to be a(n) + 명사

· **want to be a veterinarian** 수의사가 되고 싶다

John wants to be a veterinarian in the future.

존은 장래에 수의사가 되고 싶다.

· **want to be a pilot** 비행기 조종사가 되고 싶다

Alice wants to be a pilot in the future.

엘리스는 장래에 비행기 조종사가 되고 싶다.

Tips

▶ in the future는 '장래에', '앞으로', '머지않아', '다음에', '나중에'라는 의미로 장래에 일어나는 일을 말할 때 쓸 수 있는 시간 표현입니다.

Step 3 Dialogues

● 장래에 무엇을 하고 싶은지 물을 때 What do you want to be in the future?(너는 장래에 무엇이 되고 싶니?)라고 물을 수 있습니다.

Ⓐ What **do you want to be** in the future? 너는 장래에 무엇이 되고 싶니?
Ⓑ I want to be a **musician**. 나는 음악가가 되고 싶어.

Practice

● 앞에서 배운 장래 희망을 나타내는 단어를 이용해서 답해 보세요.

I want to be a **police officer**. 나는 경찰관이 되고 싶어.
I want to be a **firefighter**. 나는 소방관이 되고 싶어.

Word Preview

● 문제에 등장하는 단어들을 듣고, 미리 한 번씩 써보세요.

01	parents	부모		02	writer	작가	
03	foot	발		04	chef	주방장	
05	introduce	소개하다		06	myself	나 자신	
07	favorite	좋아하는		08	sheep	양	
09	field	들판		10	horse	말	
11	cheese	치즈		12	draw	그리다	
13	exciting	흥미진진한		14	surprise	놀람	
15	season	계절		16	future	장래	
17	sick	아픈		18	borrow	빌리다	
19	sure	물론, 확실히		20	tulip	튤립	

12회 영어 듣기 모의고사

학습일 월 일 부모님 확인 점수

1

다음을 듣고, 들려주는 낱말의 첫소리를 고르시오. ································ (   )

_arents

① c　② d
③ t　④ p

2

다음을 듣고, 단어 카드와 일치하는 낱말을 고르시오. ································ (   )

①　②　③　④

3

다음을 듣고, 직업을 나타내는 낱말이 아닌 것을 고르시오. ··························· (   )

①　②　③　④

4

다음 들려주는 문장이 쓰이는 경우를 고르시오. ································ (   )

① 아플 때　② 자기소개할 때
③ 자러 갈 때　④ 헤어질 때

5

다음을 듣고, 설명과 일치하는 그림을 고르시오. ································ (   )

①

②

③

④

6

다음 그림을 보고, 여자가 할 말로 알맞은 것을 고르시오. .... (　　　　)

① ② ③ ④

7

다음 그림을 보고, 그림과 일치하는 설명을 고르시오. .... (　　　　)

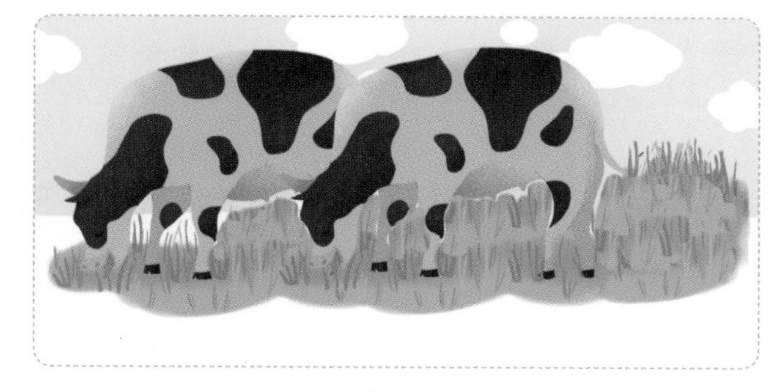

① ② ③ ④

8

다음을 듣고, 여자의 여동생을 고르시오.
.... (　　　　)

①

② 

③ 

④ 

9

다음 대화를 듣고, 남자가 사려고 하는 것을 고르시오. .... (　　　　)

① 운동화　② 생일 선물
③ 케이크　④ 학용품

10

다음 대화를 듣고, 어제의 날씨를 고르시오.
.... (　　　　)

① 

③ 

11

다음 대화를 듣고, 남자 아이의 어제 모습을 고르시오. ……………………………… (　　　　)

① 

② 

③ 

④ 

12

다음 대화를 듣고, 남자가 좋아하는 음식을 고르시오. ……………………………… (　　　　)

① 피자　　② 국수
③ 파스타　　④ 햄버거

13

다음 대화를 듣고, 남자 아이가 좋아하는 계절을 고르시오. ………………………… (　　　　)

① 봄　　② 여름
③ 가을　　④ 겨울

14

다음 대화를 듣고, 여자 아이가 내일 무엇을 할 것인지 고르시오. …………………… (　　　　)

① 대회 준비
② 생일 파티
③ 시험 공부
④ 영화 보기

15

다음 대화를 듣고, 여자 아이의 장래 희망을 고르시오. ……………………………… (　　　　)

① 선생님　　② 간호사
③ 과학자　　④ 가수

16

다음 그림을 보고, 그림과 일치하는 대화를 고르시오. ································ (　　　)

① ② ③ ④

17

다음 대화를 듣고, 이어질 말로 적절하지 않은 것을 고르시오. ························ (　　　)

M ______________________________

① ② ③ ④

18

다음을 듣고, 이어질 말로 알맞은 것을 고르시오. ································ (　　　)

W ______________________________

① ② ③ ④

19

다음 대화를 듣고, 이어질 말로 알맞은 것을 고르시오. ································ (　　　)

M ______________________________

① She likes tulips.
② I don't like flowers.
③ My favorite animal is a rabbit.
④ I like roses the most.

20

다음 대화를 듣고, 이어질 말로 알맞은 것을 고르시오. ································ (　　　)

M ______________________________

① It's 10 dollars.
② I have 10 bags.
③ It looks good. I'll take it.
④ No, it's not my bag.

12회

보통 속도 빠른 속도

정답 및 해석 p. 24

Dictation 영어 듣기 모의고사

학습일 월 일 부모님 확인 점수

● 잘 듣고, 빈칸에 알맞은 말을 쓰세요.

1

다음을 듣고, 들려주는 낱말의 첫소리를 고르시오. ( )

_arents

① c ② d
③ t ④ p

W: ______________________

parents 부모

TIPS 알파벳 P p 사운드는 paper(종이)의 첫소리입니다.

2

다음을 듣고, 단어 카드와 일치하는 낱말을 고르시오. ( )

fruit

① ② ③ ④

❶ M: player

❷ M: ______________________

❸ M: people

❹ M: ______________________

player 선수 | fruit 과일 | people 사람들 | foot 발

3

다음을 듣고, 직업을 나타내는 낱말이 아닌 것을 고르시오. ( )

① ② ③ ④

❶ W: ______________________

❷ W: writer

❸ W: ______________________

❹ W: chef

nurse 간호사 | writer 작가 | plane 비행기 | chef 주방장

TIPS plane은 '비행기'이고, 비행기를 조종하는 직업을 가진 사람은 pilot입니다.

4

다음 들려주는 문장이 쓰이는 경우를 고르시오. ( )

① 아플 때 ② 자기소개할 때
③ 자러 갈 때 ④ 헤어질 때

M: Let me introduce ______________.

introduce 소개하다 | myself 나 자신

TIPS Let me introduce myself.는 '내 소개를 할게요.'라는 의미로 소개할 때 쓸 수 있는 표현입니다. 여기서 사용한 myself는 '나 자신'을 말하는 재귀대명사입니다. 재귀대명사는 자기 자신을 나타내는 대명사입니다.
yourself 너 자신 himself 그 자신
herself 그녀 자신 itself 그것 자체

5

다음을 듣고, 설명과 일치하는 그림을 고르시오. ……………………………………( )

① ② ③ ④

W: A boy is ____________________ a bicycle.

ride a bicycle 자전거를 타다

TIPS • [be동사 + -ing] 형태는 지금 하고 있는 진행시제를 나타냅니다.
• bicycle은 흔히 bike라고도 줄여서 말합니다.

6

다음 그림을 보고, 여자가 할 말로 알맞은 것을 고르시오. ……………………………( )

① ② ③ ④

① W: What are you looking for?

② W: It is ____________________ outside.

③ W: I'm very hungry.

④ W: ____________________ yourself.

look for ~을 찾다 | sunny 맑은 | outside 밖에 | hungry 배고픈 | help yourself 마음껏 먹다

TIPS Help yourself.는 '(음식 등을) 맛있게 먹어.'라는 표현으로 음식 등을 대접할 때 쓸 수 있는 표현입니다. 흔히 대화에서 사용하는 회화 표현이니 잘 기억하세요.

7

다음 그림을 보고, 그림과 일치하는 설명을 고르시오. ……………………………( )

① ② ③ ④

① M: __________________ __________________ two sheep on the field.

② M: There are two cats on the sofa.

③ M: There are ____________________ ____________________ on the field.

④ M: There are two horses on the field.

sheep 양 | field 들판 | sofa 소파 | cow 소 | horse 말

TIPS 그림에서 들판에서 풀을 뜯고 있는 동물은 '소'입니다.

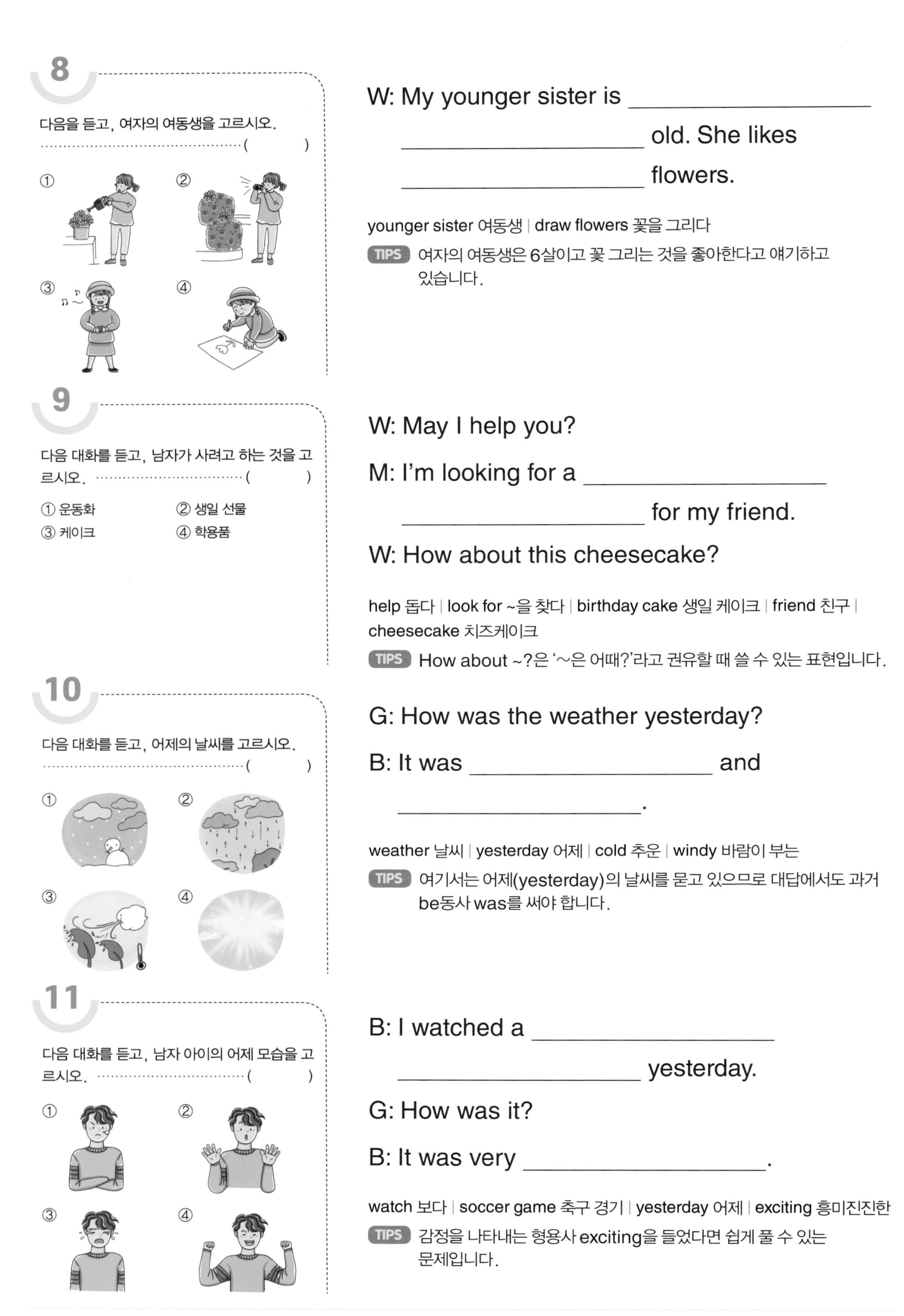

8

다음을 듣고, 여자의 여동생을 고르시오. ·· (　　　)

① ② ③ ④

W: My younger sister is ________________ ________________ old. She likes ________________ flowers.

younger sister 여동생 | draw flowers 꽃을 그리다

TIPS 여자의 여동생은 6살이고 꽃 그리는 것을 좋아한다고 얘기하고 있습니다.

9

다음 대화를 듣고, 남자가 사려고 하는 것을 고르시오. ································ (　　　)

① 운동화　② 생일 선물
③ 케이크　④ 학용품

W: May I help you?

M: I'm looking for a ________________ ________________ for my friend.

W: How about this cheesecake?

help 돕다 | look for ~을 찾다 | birthday cake 생일 케이크 | friend 친구 | cheesecake 치즈케이크

TIPS How about ~?은 '~은 어때?'라고 권유할 때 쓸 수 있는 표현입니다.

10

다음 대화를 듣고, 어제의 날씨를 고르시오. ·· (　　　)

① ② ③ ④

G: How was the weather yesterday?

B: It was ________________ and ________________.

weather 날씨 | yesterday 어제 | cold 추운 | windy 바람이 부는

TIPS 여기서는 어제(yesterday)의 날씨를 묻고 있으므로 대답에서도 과거 be동사 was를 써야 합니다.

11

다음 대화를 듣고, 남자 아이의 어제 모습을 고르시오. ································ (　　　)

① ② ③ ④

B: I watched a ________________ ________________ yesterday.

G: How was it?

B: It was very ________________.

watch 보다 | soccer game 축구 경기 | yesterday 어제 | exciting 흥미진진한

TIPS 감정을 나타내는 형용사 exciting을 들었다면 쉽게 풀 수 있는 문제입니다.

12

다음 대화를 듣고, 남자가 좋아하는 음식을 고르시오. .... (　　　)

① 피자　② 국수
③ 파스타　④ 햄버거

W: Andy, do you like pasta?

M: No, I don't, but I ______________________
______________________.

like 좋아하다 | pasta 파스타 | pizza 피자

TIPS 대화에서 남자는 피자를 좋아한다고 말하고 있습니다.

13

다음 대화를 듣고, 남자 아이가 좋아하는 계절을 고르시오. .... (　　　)

① 봄　② 여름
③ 가을　④ 겨울

G: My favorite ______________________ is winter.
How about you?

B: I like ______________________. I love swimming in the river.

favorite 좋아하는 | season 계절 | winter 겨울 | summer 여름 | river 강

TIPS
- 대화에서 아이들은 favorite season(좋아하는 계절)에 대해 이야기하고 있습니다.
- How about you?(너는 어때?)는 상대방의 의견을 묻는 질문으로 여기서는 남자 아이가 좋아하는 계절을 묻고 있습니다.

14

다음 대화를 듣고, 여자 아이가 내일 무엇을 할 것인지 고르시오. .... (　　　)

① 대회 준비
② 생일 파티
③ 시험 공부
④ 영화 보기

B: What are you going to do ______________________?

G: I'm going to have a surprise
______________________ ______________________
for my mom.

tomorrow 내일 | have a party 파티를 열다 | surprise 놀람 | birthday party 생일 파티

TIPS 시간의 부사 tomorrow는 '내일'이라는 의미로 가까운 계획을 나타내는 be going to와 잘 어울립니다.

15

다음 대화를 듣고, 여자 아이의 장래 희망을 고르시오. .... (　　　)

① 선생님　② 간호사
③ 과학자　④ 가수

B: Jane, what do you want to be in the future?

G: I want to be a ______________________.
I will take care of ______________________
______________________.

in the future 장래에 | nurse 간호사 | take care of ~을 돌보다 | sick people 아픈 사람들

TIPS 장래에 무엇을 하고 싶은지 물을 때 What do you want to be in the future?(너는 장래에 무엇이 되고 싶니?)라고 물을 수 있습니다.

16

다음 그림을 보고, 그림과 일치하는 대화를 고르시오. ( )

① ② ③ ④

① B: This is for you.

W: Thank you.

② B: How long can I ________________ this ________________?

W: You can borrow it for 10 days.

③ B: ________________ ________________ is he?

W: He is 30 years old.

④ B: Can I eat some pasta?

W: Sure.

this 이것 | how long 얼마나 오랫동안 | borrow 빌리다 | how old 얼마나 나이 든 | pasta 파스타 | sure 물론

TIPS 그림에 보이는 도서관 대출 카운터에서 일어날 수 있는 대화로 어울리는 것을 골라 보세요.

17

다음 대화를 듣고, 이어질 말로 적절하지 않은 것을 고르시오. ( )

M ________________

① ② ③ ④

M: Sandy, let's go swimming.

W: Sorry, I ________________ ________________.

① M: Then, how about playing soccer?

② M: Then, let's play computer games.

③ M: Okay. I love ________________.

④ M: Then, what do you want to do?

go swimming 수영하러 가다 | play soccer 축구하다 | play computer games 컴퓨터 게임을 하다

TIPS 대화에서 여자가 수영을 못한다고 했으므로 Let's나 How about을 이용해서 다른 것을 제안하는 답변이 올 수 있습니다.

18

다음을 듣고, 이어질 말로 알맞은 것을 고르시오. .... (   )

W ______________________

① ② ③ ④

M: You __________ __________ today. Are you okay?

❶ W: How are you?

❷ W: I think I __________ __________ __________.

❸ W: No, that's okay.

❹ W: I can help you.

look bad 안 좋아 보이다 | have a cold 감기에 걸리다 | help 돕다

TIPS 아픈 증상을 말할 때 have를 써서 표현할 수 있습니다.
have a runny nose 콧물이 나나 have a headache 두통이 있다
have a toothache 치통이 있다 have a fever 열이 있다

19

다음 대화를 듣고, 이어질 말로 알맞은 것을 고르시오. .... (   )

M ______________________

① She likes tulips.
② I don't like flowers.
③ My favorite animal is a rabbit.
④ I like roses the most.

M: Look over there! They are __________ __________ in the garden.

W: Oh, they are beautiful. __________ kind of flower do you like?

M: ______________________

over there 저쪽에 | flower 꽃 | garden 정원 | beautiful 아름다운 | kind 종류 | tulip 튤립 | rose 장미 | the most 가장

TIPS What kind of flower do you like?는 '너는 어떤 꽃을 좋아하니?' 라는 질문으로 좋아하는 꽃을 언급하는 대답이 어울립니다.

20

다음 대화를 듣고, 이어질 말로 알맞은 것을 고르시오. .... (   )

M ______________________

① It's 10 dollars.
② I have 10 bags.
③ It looks good. I'll take it.
④ No, it's not my bag.

W: Can I help you?

M: I'm looking for a bag.

W: __________ __________ this one?

M: ______________________

help 돕다 | look for ~을 찾다 | bag 가방 | dollar 달러 | take 사다

TIPS Can I help you?는 '도와드릴까요?'라는 의미로 가게에서 흔히 들을 수 있는 표현입니다. May I help you?로 바꿔 쓸 수도 있습니다.

12회 Sentence Check

● 앞에 모의고사에 나온 문장들을 잘 듣고, 한 번씩 써보세요.

01 Let me introduce myself. 내 소개를 할게요.

Let me introduce myself.

02 Help yourself. 맛있게 먹어.

03 There are two cows on the field. 들판에 소 두 마리가 있다.

04 She likes drawing flowers. 그녀는 꽃을 그리는 것을 좋아한다.

05 I'm looking for a birthday cake for my friend. 나는 친구를 위한 생일 케이크를 찾고 있다.

06 It was cold and windy. 춥고 바람이 분다.

07 My favorite season is winter. 내가 좋아하는 계절은 겨울이다.

08 I love swimming in the river. 나는 강에서 수영하는 것을 좋아한다.

09 I will take care of sick people. 나는 아픈 사람들을 돌볼 것이다.

10 There are many flowers in the garden. 정원에 꽃이 많이 있다.

12회

Dialogue Check

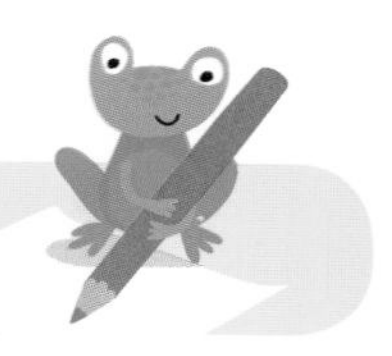

● 앞에 모의고사에 나온 대화들을 잘 듣고, 한 번씩 써보세요.

01 A How was the soccer game? 축구 경기 어땠어?
B It was very exiting. 매우 흥미진진했어.

▶ A How was the soccer game?
B It was very exiting.

02 A What do you want to be in the future? 너는 장래에 뭐가 되고 싶어?
B I want to be a nurse. 나는 간호사가 되고 싶어.

▶ A
B

03 A How long can I borrow this book? 이 책을 얼마 동안 빌릴 수 있나요?
B You can borrow it for 10 days. 10일 동안 빌릴 수 있어요.

▶ A
B

04 A What kind of flower do you like? 너는 무슨 꽃을 좋아하니?
B I like roses the most. 나는 장미를 가장 좋아해.

▶ A
B

05 A How about this one? 이것은 어때요?
B It looks good. I'll take it. 좋아 보여요. 그걸로 살게요.

▶ A
B

Chapter 13 # Warm-up

학습일 월 일 | 부모님 확인 | 점수

Step 1 Theme Words 일상생활

	get up	일어나다		wash	씻다
	eat	먹다		sleep	자다
	take a bath	목욕하다		time	시간, 때

Step 2 Expressions

- '때'를 의미하는 단어 time과 [to + 동사원형]을 이용해서 '~할 때'라고 표현할 수 있습니다. 이때 [to + 동사원형]은 앞에 time을 수식하는 형용사 역할을 합니다.

time to + 동사원형

- **time to get up** 일어날 시간
  It is time to get up. 일어날 시간이다.
- **time to go to school** 학교에 갈 시간
  It is time to go to school. 학교에 갈 시간이다.

Tips

▶ [to + 동사원형] 형태를 'to부정사' 라고 말합니다. to부정사는 '형용사' 역할을 할 수 있습니다.
I have a lot of things to do.
나는 해야 할 일이 많다.
I need something to eat.
나는 먹을 무언가가 필요하다.

Step 3 Dialogues

● 누군가에게 할 일을 상기시키며 '~할 때'라고 말할 때, [It's time to + 동사원형] 형태로 말할 수 있습니다. 이때는 Okay. / I see. 등으로 답하면 됩니다.

Ⓐ **It's time to eat lunch.** 점심을 먹을 시간이야.

Ⓑ **Okay.** 알았어.

Practice

● 앞에서 배운 일상을 나타내는 단어를 이용해서 상대방에게 무언가를 상기시켜 보세요.

It's time to go home. 집에 갈 시간이야.

It's time to go to bed. 잠 잘 시간이야.

Word Preview

● 문제에 등장하는 단어들을 듣고, 미리 한 번씩 써보세요.

01	breakfast	아침(식사)	
03	child	아이	
05	subway	지하철	
07	cousin	사촌	
09	order	주문하다	
11	pool	수영장	
13	steal	훔치다	
15	usually	보통	
17	movie	영화	
19	near	가까운	

02	talk	말하다	
04	church	교회	
06	classmate	반 친구	
08	ready	준비된	
10	cover	덮다	
12	later	나중에	
14	someone	누군가	
16	sign	표지판	
18	already	이미, 벌써	
20	airplane	비행기	

13회 영어 듣기 모의고사

보통 속도

빠른 속도

학습일	월 일	부모님 확인		점수	

1

다음을 듣고, 들려주는 낱말의 첫소리를 고르시오. .... (　　　)

① b　② d
③ c　④ p

2

다음을 듣고, 단어 카드와 일치하는 낱말을 고르시오. .... (　　　)

①　②　③　④

3

다음을 듣고, 학교와 관련된 낱말이 아닌 것을 고르시오. .... (　　　)

①　②　③　④

4

다음 들려주는 문장이 쓰이는 경우를 고르시오. .... (　　　)

① 아플 때
② 자러 갈 때
③ 일어났을 때
④ 만났을 때

5

다음을 듣고, 여자 아이가 해야 할 일을 고르시오. .... (　　　)

①

②

③

④

6

다음 그림을 보고, 남자가 할 말로 알맞은 것을 고르시오. .... (　　　)

① ② ③ ④

7

다음을 듣고, 그림과 일치하는 설명을 고르시오. .... (　　　)

① ② ③ ④

8

다음을 듣고, 남자 아이가 보고 있는 사진을 고르시오. .... (　　　)

①

② 

③

④ 

9

다음을 듣고, 헤어질 때 사용하는 표현을 고르시오. .... (　　　)

① ② ③ ④

10

다음 대화를 듣고, 지금 시각을 고르시오.
.... (　　　)

① 

② 

③ 

④ 

11

다음 대화를 듣고, 여자 아이 모습과 일치하는 그림을 고르시오. ………………… (　　　)

① 

② 

③ 

④ 

12

다음 대화를 듣고, 남자 아이가 방과 후에 하는 것을 고르시오. ……………………… (　　　)

① 농구　② 자전거 타기
③ 컴퓨터 게임　④ 숙제

13

다음 대화를 듣고, 누구에 대해 말하고 있는지 고르시오. ……………………………… (　　　)

① 여자의 남동생　② 여자의 오빠
③ 여자의 아빠　④ 여자의 사촌

14

다음 대화를 듣고, 남자 아이가 하고 있는 일을 고르시오. ………………………… (　　　)

① 숙제　② 청소
③ 세수　④ 손 씻기

15

다음 대화를 듣고, 대화가 이루어지는 장소를 고르시오. ……………………………… (　　　)

① 동물원　② 빵집
③ 극장　④ 수영장

16

다음 그림을 보고, 그림과 일치하는 대화를 고르시오. .... (　　　)

① ② ③ ④

17

다음을 듣고, 이어질 말로 적절하지 않은 것을 고르시오. .... (　　　)

M ________________________________

① ② ③ ④

18

다음 대화를 듣고, 이어질 말로 알맞은 것을 고르시오. .... (　　　)

W ________________________________

① ② ③ ④

19

다음 대화를 듣고, 이어질 말로 알맞은 것을 고르시오. .... (　　　)

W ________________________________

① The bus is coming.
② Go straight and turn left.
③ I have to go to the hospital.
④ Let's meet in front of the hospital.

20

다음 대화를 듣고, 이어질 말로 알맞은 것을 고르시오. .... (　　　)

B ________________________________

① I ride a bike to school.
② I will take an airplane.
③ She always takes the subway.
④ She came here by train.

13회 Dictation 영어 듣기 모의고사

보통 속도

빠른 속도

정답 및 해석 p. 26

학습일 월 일 부모님 확인 점수

● 잘 듣고, 빈칸에 알맞은 말을 쓰세요.

1

다음을 듣고, 들려주는 낱말의 첫소리를 고르시오. ( )

_reakfast

① b ② d
③ c ④ p

W: ______________________

breakfast 아침(식사)

TIPS 알파벳 B b 사운드는 bat(방망이)의 첫소리입니다.

2

다음을 듣고, 단어 카드와 일치하는 낱말을 고르시오. ( )

church

① ② ③ ④

❶ M: cheese
❷ M: ______________________
❸ M: child
❹ M: ______________________

cheese 치즈 | chair 의자 | child 아이 | church 교회

3

다음을 듣고, 학교와 관련된 낱말이 아닌 것을 고르시오. ( )

① ② ③ ④

❶ W: classroom
❷ W: ______________________
❸ W: teacher
❹ W: ______________________

classroom 교실 | subway 지하철 | teacher 선생님 | classmate 반 친구

TIPS subway는 '지하철'로 교통수단과 관련한 단어입니다.

4

다음 들려주는 문장이 쓰이는 경우를 고르시오. ( )

① 아플 때
② 자러 갈 때
③ 일어났을 때
④ 만났을 때

M: Good ______________________!

night 밤

TIPS Good night!은 '잘 자!'라는 의미로 밤에 잠을 자러 갈 때나 밤에 헤어지는 인사로 사용합니다.

5

다음을 듣고, 여자 아이가 해야 할 일을 고르시오. ( )

① ② ③ ④

W: It's time to ______________________

______________________.

time 시간, 때 | study 공부하다 | English 영어

TIPS 누군가에게 할 일을 상기시키며 '~할 때'라고 말할 때, [It's time to + 동사원형] 형태로 말할 수 있습니다.

6

다음 그림을 보고, 남자가 할 말로 알맞은 것을 고르시오. ( )

① ② ③ ④

❶ M: Are you ready ______________________

______________________?

❷ M: I'll have the cream pasta, please.

❸ M: I'm very ______________________.

❹ M: I want to eat a hamburger.

ready 준비된 | order 주문하다 | cream pasta 크림 파스타 | hungry 배고픈 | hamburger 햄버거

TIPS Are you ready to order?는 '주문하시겠어요?'라는 표현으로, 식당에서 흔히 들을 수 있는 표현입니다.
이외에도 Would you like to order? / Have you decided? / What would you like to have? / What can I get for you? 등이 모두 주문을 받을 때 쓸 수 있는 표현입니다.

7

다음을 듣고, 그림과 일치하는 설명을 고르시오. ( )

① ② ③ ④

❶ W: The woman is listening to music.

❷ W: The woman is singing.

❸ W: The man is ______________________

______________________ the woman.

❹ W: The woman is ______________________ her ears with her ______________________.

listen to music 음악을 듣다 | talk 말하다 | cover 덮다 | hand 손

TIPS 그림에서 여자가 두 손으로 귀를 막고 있습니다.

8

다음을 듣고, 남자 아이가 보고 있는 사진을 고르시오. ( )

① ② ③ ④

B: The woman in front of the Eiffel Tower is

__________ __________.

woman 여자 | in front of ~ 앞에 | Eiffel Tower 에펠탑

TIPS 남자 아이가 에펠탑 앞에 있는 여자가 자신의 엄마라고 얘기하고 있습니다. 이에 어울리는 사진을 골라 보세요.

9

다음을 듣고, 헤어질 때 사용하는 표현을 고르시오. ( )

① ② ③ ④

① W: That's a good idea.

② W: __________ __________ __________.

③ W: You're welcome.

④ W: Congratulations!

idea 생각 | later 나중에 | welcome 환영받는 | congratulations 축하해

TIPS 헤어질 때 쓸 수 있는 표현은 See you later. 이외에도 Bye. / Good-bye. / See you again. (또 보자.) 등이 있습니다.

10

다음 대화를 듣고, 지금 시각을 고르시오. ( )

① ② ③ ④

G: What __________ is it now?

B: It is __________ __________.

what time 몇 시 | now 지금

TIPS 시간을 말할 때는 '시'와 '분' 순서로 하나, 둘을 나타내는 기수로 말하면 됩니다.

11

다음 대화를 듣고, 여자 아이 모습과 일치하는 그림을 고르시오. ( )

① ② ③ ④

B: You __________ __________.

What's wrong?

G: Someone stole my computer last night.

someone 누군가 | stole 훔치다(steal)의 과거형

TIPS 여자 아이는 누가 컴퓨터를 훔쳐가서 화가 나 있습니다. 이처럼 상태를 표현할 때 동사 look을 써서 '~인 것 같다'라고 말할 수 있습니다.

look happy 행복해 보이다 | look sad 슬퍼 보이다
look pleased 기뻐 보이다 | look tired 피곤해 보이다

12

다음 대화를 듣고, 남자 아이가 방과 후에 하는 것을 고르시오. .... (   )

① 농구 ② 자전거 타기
③ 컴퓨터 게임 ④ 숙제

G: What do you do after school?

B: I usually ____________________ a ____________________.

after school 방과 후에 | usually 보통 | ride a bicycle 자전거를 타다

TIPS usually는 빈도를 나타내는 부사로 '보통'이라는 의미입니다. 이러한 빈도를 나타내는 부사는 be동사 다음에 오거나 일반동사 앞에 위치합니다. 여기서는 일반동사 ride 앞에 위치하고 있습니다.

13

다음 대화를 듣고, 누구에 대해 말하고 있는지 고르시오. .... (   )

① 여자의 남동생 ② 여자의 오빠
③ 여자의 아빠 ④ 여자의 사촌

M: Who is that? Is he your brother?

W: No, he is ____________________ ____________________. He's from Korea.

who 누구 | brother 오빠, 형 | cousin 사촌 | be from ~에서 오다(출신이다)

TIPS He's from Korea.(그는 한국에서 왔어.)는 주로 Where is he from?(그는 어디에서 왔니?)이라는 질문에 대한 답으로 주로 국적을 표현합니다.
국적을 나타내는 표현은 이외에도 다음과 같은 것들이 있습니다.
I'm from Canada. 나는 캐나다에서 왔어.
I'm from America. 나는 미국에서 왔어.
I'm from England. 나는 영국에서 왔어.

14

다음 대화를 듣고, 남자 아이가 하고 있는 일을 고르시오. .... (   )

① 숙제 ② 청소
③ 세수 ④ 손 씻기

W: Sam, where are you?

B: I'm in the bathroom. I'm ____________________ ____________________ ____________________.

where 어디 | bathroom 욕실, 화장실 | wash one's hands 손을 씻다

TIPS Where are you?는 장소를 묻는 표현으로 대답은 Yes/No로 할 수 없으며 장소로 답하면 됩니다.

15

다음 대화를 듣고, 대화가 이루어지는 장소를 고르시오. .... (　　　)

① 동물원　② 빵집
③ 극장　④ 수영장

G: Let's jump into the ____________________.

B: Wait! Look at that sign. We have to warm up before ____________________.

jump into ~으로 뛰어들다 | pool 수영장 | sigh 표지판 |
warm up 준비운동 하다 | before ~ 전에

TIPS pool이나 warm up, swimming 등을 통해서 수영장에서 이루어지는 대화임을 알 수 있습니다.

16

다음 그림을 보고, 그림과 일치하는 대화를 고르시오. .... (　　　)

①　②　③　④

❶ B: Let's go outside and play.
G: I'd like to, but I can't.

❷ B: Can I ____________________ your ____________________?
G: Sure. Go ahead.

❸ B: Would you close the window?
G: Sure.

❹ B: I'm very ____________________.
G: Me, too.

outside 밖에 | use 사용하다 | go ahead 계속하다 | window 창문 |
hungry 배고픈

17

다음을 듣고, 이어질 말로 적절하지 않은 것을 고르시오. .... (　　　)

M ____________________

①　②　③　④

W: What did you do ____________________?

❶ M: I watched a movie.

❷ M: I played baseball.

❸ M: I went to the zoo.

❹ M: I'm ______________ ______________ the museum.

yesterday 어제 | watch a movie 영화를 보다 | baseball 야구 | zoo 동물원 |
museum 박물관

TIPS 시간의 부사 yesterday(어제)가 있으므로 대답도 맞춰서 동사를 과거형으로 써야 합니다. be going to는 '~할 것이다'라는 의미로 가까운 미래의 계획을 말합니다.

18

다음 대화를 듣고, 이어질 말로 알맞은 것을 고르시오. .... (   )

W ____________________

① ② ③ ④

W: John, it's time to go to bed.

B: ____________ ____________ is it now?

❶ W: It's already ____________ p.m.

❷ W: It's time to go to school.

❸ W: It's 7 a.m.

❹ W: It's time to eat breakfast.

go to bed 자러 가다 | what time 몇 시 | now 지금 | already 이미, 벌써 | p.m. 오후 | go to school 학교에 가다 | a.m. 오전 | breakfast 아침(식사)

TIPS What time is it now?은 지금 몇 시인지 시간을 물어보는 표현이므로 시간으로 답하는 것이 어울립니다.

19

다음 대화를 듣고, 이어질 말로 알맞은 것을 고르시오. .... (   )

W ____________________

① The bus is coming.
② Go straight and turn left.
③ I have to go to the hospital.
④ Let's meet in front of the hospital.

W: Can I help you?

M: Yes, please. How can I get to the ____________ ____________?

W: ____________________

help 돕다 | get to ~에 도착하다 | near 가까운 | hospital 병원 | straight 곧장 | turn left 왼쪽으로 돌다 | in front of ~ 앞에

TIPS
- How can I get to ~?는 길을 묻는 표현입니다.
- the nearest hospital은 '가장 가까운 병원'이라는 의미로 형용사 near에 최상급을 나타내는 -est가 붙은 형태입니다. 최상급 앞에는 정관사 the를 붙여야 합니다.

20

다음 대화를 듣고, 이어질 말로 알맞은 것을 고르시오. .... (   )

B ____________________

① I ride a bike to school.
② I will take an airplane.
③ She always takes the subway.
④ She came here by train.

G: Where is your school?

B: It's not far from here.

G: How do you ____________ ____________ ____________?

B: ____________________

where 어디 | far from ~에서 먼 | ride a bike 자전거를 타다 | airplane 비행기 | subway 지하철 | by train 기차로

TIPS 여기서는 어떻게 학교에 가는지 교통수단을 묻고 있습니다. 학교가 멀지 않다고(not far from)이라고 말하고 있으므로 가장 어울리는 대답을 골라 보세요.

13 회

Sentence Check

● 앞에 모의고사에 나온 문장들을 잘 듣고, 한 번씩 써보세요.

01 It's time to study English. 영어 공부할 시간이다.

It's time to study English.

02 The woman is covering her ears with her hands. 여자가 손으로 귀를 막고 있다.

03 The woman in front of the Eiffel Tower is my mom. 에펠탑 앞에 있는 여자가 내 엄마다.

04 Someone stole my computer last night. 누군가 지난밤에 내 컴퓨터를 훔쳤다.

05 I usually ride a bicycle. 나는 보통 자전거를 탄다.

06 I'm washing my hands. 나는 손을 닦고 있다.

07 Let's jump into the pool. 수영장으로 뛰어들자.

08 We have to warm up before swimming. 우리는 수영하기 전에 준비운동을 해야 한다.

09 It's already 10 p.m. 벌써 저녁 10시다.

10 The bus is coming. 버스가 오고 있다.

13회 Dialogue Check

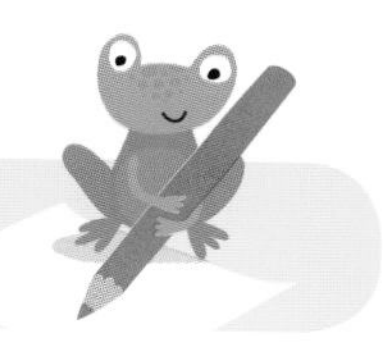

● 앞에 모의고사에 나온 대화들을 잘 듣고, 한 번씩 써보세요.

01 **A** Where are you? 어디 있니?
B I'm in the bathroom. 화장실에 있어.
▶ **A** Where are you?
B I'm in the bathroom.

02 **A** Can I use your computer? 네 컴퓨터를 써도 되니?
B Sure. Go ahead. 물론. 어서 써.
▶ **A**
B

03 **A** It's time to go to bed. 잘 시간이야.
B What time is it now? 지금 몇 시예요?
▶ **A**
B

04 **A** How can I get to the nearest hospital? 가장 가까운 병원에 어떻게 가죠?
B Go straight and turn left. 죽 가서 왼쪽으로 도세요.
▶ **A**
B

05 **A** How do you go to school? 학교에 어떻게 가니?
B I ride a bike to school. 나는 학교에 자전거를 타고 가.
▶ **A**
B

Chapter 14 Warm-up

학습일 월 일 부모님 확인 점수

Step 1 Theme Words 목적어가 필요한 동사

open	열다	close	닫다
take	가져가다	bring	가져오다
fix	고치다	put	놓다

Step 2 Expressions

● 동사 중에는 뒤에 '~을'에 해당하는 대상, 즉 목적어가 와야 하는 동사들이 있습니다. 이런 동사를 '타동사'라고 하며, 이런 타동사들은 항상 목적어가 필요합니다.

타동사 + 목적어

· **open the window** 창문을 열다

Open the window, please. 창문을 열어 주세요.

· **fix the car** 자동차를 고치다

He can fix the car. 그는 자동차를 고칠 수 있다.

Tips

▶ 자주 쓰는 [타동사+목적어] 표현으로는 다음과 같은 것들이 있습니다.

open the window 창문을 열다
close the door 문을 닫다
clean the room 방을 청소하다
wash the dishes 설거지를 하다
write the letter 편지를 쓰다
answer the question 질문에 답하다

Step 3 Dialogues

● 상대방에게 부탁할 때 Could you ~?라는 표현을 써서 할 수 있습니다. 이때 Could you는 Would you로 바꿔 쓸 수 있고, 더 공손하게 표현하려면 please를 붙여주면 됩니다.

Ⓐ **Could you** open the window? 창문 좀 열어줄래요?
Ⓑ Sure. 물론이죠.

Practice

● 앞에서 배운 타동사를 이용해서 자주 할 수 있는 부탁을 만들어 보세요.

Could you **fix my bicycle?** 내 자전거를 고쳐 줄래요?
Could you **clean your room?** 네 방 청소를 해줄래?

Word Preview

● 문제에 등장하는 단어들을 듣고, 미리 한 번씩 써보세요.

01	break	깨뜨리다		02	cloud	구름	
03	those	저, 저것들		04	kind	종류, 친절한	
05	bird	새		06	move	움직이다, 이사 가다	
07	peach	복숭아		08	market	시장	
09	vegetable	야채		10	weekend	주말	
11	aquarium	수족관		12	hobby	취미	
13	straight	곧장		14	too	역시	
15	sick	아픈		16	meet	만나다	
17	matter	일, 문제		18	think	생각하다	
19	suit	정장		20	these days	요즘	

14회 영어 듣기 모의고사

학습일 월 일 부모님 확인 점수

1

다음을 듣고, 들려주는 낱말의 첫소리를 고르시오. ······································ (　　　)

_ubway

① p　　② r
③ c　　④ s

2

다음을 듣고, 단어 카드와 일치하는 낱말을 고르시오. ······································ (　　　)

①　　②　　③　　④

3

다음을 듣고, 하루의 때를 나타내는 낱말이 <u>아닌</u> 것을 고르시오. ······························ (　　　)

①　　②　　③　　④

4

다음 들려주는 문장이 쓰이는 경우를 고르시오. ······································ (　　　)

① 감사할 때　　② 자러 갈 때
③ 일어났을 때　　④ 만났을 때

5

다음을 듣고, 여자가 보고 있는 것을 고르시오. ······································ (　　　)

①

②

③
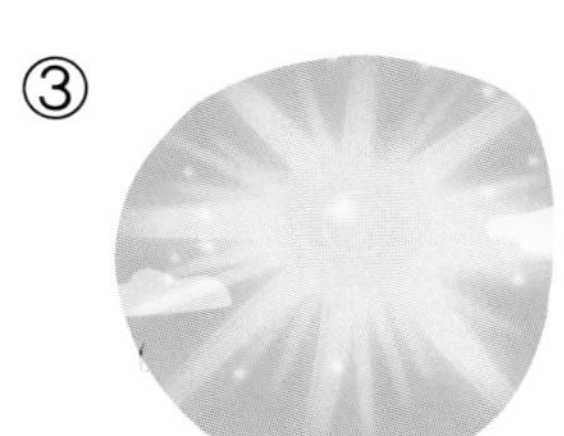

④

6

다음 그림을 보고, 남자가 할 말로 알맞은 것을 고르시오. ………………………………( )

① ② ③ ④

7

다음을 듣고, 그림과 일치하는 설명을 고르시오. ………………………………………( )

① ② ③ ④

8

다음을 듣고, 여자가 보고 있는 것을 고르시오. ………………………………………( )

① 
② 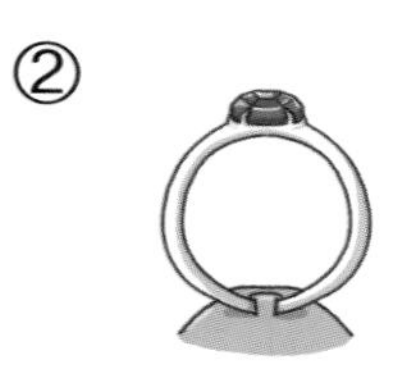
③ 
④ 

9

다음을 듣고, 파란 새는 몇 마리인지 고르시오. ………………………………………( )

① 2마리 ② 3마리
③ 4마리 ④ 5마리

10

다음 대화를 듣고, 남자의 여동생을 고르시오. ………………………………………………( )

① 
② 
③ 
④ 

11

다음 대화를 듣고, 남자 아이 모습과 일치하는 그림을 고르시오. ······················ (　　　　)

① 
② 
③ 
④ 

12

다음 대화를 듣고, 남자가 먹고 있는 것을 고르시오. ···································· (　　　　)

① 사과　　② 복숭아
③ 딸기　　④ 바나나

13

다음 대화를 듣고, 여자가 시장에서 사려는 물건을 고르시오. ························· (　　　　)

① 과일　　② 야채
③ 생선　　④ 고기

14

다음 대화를 듣고, 남자 아이가 주말에 간 곳을 고르시오. ································ (　　　　)

① 동물원　　② 영화관
③ 야구장　　④ 수족관

15

다음 대화를 듣고, 두 사람이 무엇에 관해 말하고 있는지 고르시오. ·················· (　　　　)

① 좋아하는 과목
② 주말 계획
③ 취미 생활
④ 좋아하는 계절

16

다음 그림을 보고, 그림과 일치하는 대화를 고르시오. ··································(　　　　)

① ② ③ ④

17

다음을 듣고, 이어질 말로 알맞은 것을 고르시오. ·······································(　　　　)

M ________________________________

① ② ③ ④

18

다음 대화를 듣고, 이어질 말로 알맞은 것을 고르시오. ··································(　　　　)

W ________________________________

① ② ③ ④

19

다음 대화를 듣고, 이어질 말로 알맞은 것을 고르시오. ··································(　　　　)

W ________________________________

① Today is Thursday.
② It is sunny these days.
③ I will visit my grandparents.
④ Great. How are you doing?

20

다음 대화를 듣고, 이어질 말로 알맞은 것을 고르시오. ··································(　　　　)

M ________________________________

① Yes. Here you are.
② I will borrow two books.
③ Yes, I have a credit card.
④ I'm going to the library.

14회 Dictation 영어 듣기 모의고사

보통 속도 빠른 속도

정답 및 해석 p. 28

학습일 월 일 부모님 확인 점수

● 잘 듣고, 빈칸에 알맞은 말을 쓰세요.

1

다음을 듣고, 들려주는 낱말의 첫소리를 고르시오. ( )

_ubway

① p ② r
③ c ④ s

W: ______________________

subway 지하철

TIPS 알파벳 S s 사운드는 school(학교)의 첫소리입니다.

2

다음을 듣고, 단어 카드와 일치하는 낱말을 고르시오. ( )

birthday

① ② ③ ④

❶ M: ______________________

❷ M: break

❸ M: ______________________

❹ M: bicycle

breakfast 아침 식사 | break 깨뜨리다 | birthday 생일 | bicycle 자전거

3

다음을 듣고, 하루의 때를 나타내는 낱말이 아닌 것을 고르시오. ( )

① ② ③ ④

❶ W: ______________________

❷ W: afternoon

❸ W: ______________________

❹ W: evening

morning 아침 | afternoon 오후 | uncle 삼촌 | evening 저녁

TIPS uncle(삼촌)은 '가족'을 나타내는 단어이고, 다른 단어들은 모두 '때'를 나타내는 단어들입니다.

4

다음 들려주는 문장이 쓰이는 경우를 고르시오. ( )

① 감사할 때 ② 자러 갈 때
③ 일어났을 때 ④ 만났을 때

M: That's very ______________ ______________ you.

very 무척 | kind 친절한

TIPS That's very kind of you.는 '당신 무척 친절하시군요.'라는 의미로 감사할 때 쓸 수 있는 표현입니다.

5

다음을 듣고, 여자가 보고 있는 것을 고르시오. ··········· (   )

① ② ③ ④

W: Look at ____________

____________ in the sky.

look at ~을 보다 | those 저(that)의 복수형 | cloud 구름 | sky 하늘

TIPS '~하라'고 상대방에게 지시하거나 명령하는 문장을 명령문이라고 합니다. 명령문은 동사로 시작하는 데 이때 동사원형을 씁니다.

6

다음 그림을 보고, 남자가 할 말로 알맞은 것을 고르시오. ··········· (   )

① ② ③ ④

❶ M: Could you open the window?

❷ M: Could you ____________ the ____________?

❸ M: Could you open the door?

❹ M: Could you close the ____________?

open 열다 | window 창문 | close 닫다 | door 문

TIPS 상대방에게 부탁할 때 Could you ~?나 Would you ~?를 써서 표현할 수 있습니다. 이때 더 공손하게 표현하려면 please를 붙여주면 됩니다.

7

다음을 듣고, 그림과 일치하는 설명을 고르시오. ··········· (   )

① ② ③ ④

❶ W: The man is ____________ a ____________.

❷ W: The man is wearing glasses.

❸ W: The man is sitting on the ____________.

❹ W: The man is watching TV.

suit 양복 | glasses 안경 | sofa 소파

TIPS 동사 wear는 옷, 장갑, 신발, 장신구 등을 '입고 있다, 착용하고 있다'라는 의미입니다.

8

다음을 듣고, 여자가 보고 있는 것을 고르시오. .... (　　　)

①　②　③　④

W: What a ____________________

____________________!

beautiful 아름다운 | dress 원피스

TIPS [What + a(n) + 형용사 + 명사!] 형태는 감정을 표현하는 문장으로 '정말 ~하구나!'라는 의미의 감탄문입니다.

9

다음을 듣고, 파란 새는 몇 마리인지 고르시오. .... (　　　)

① 2마리　② 3마리
③ 4마리　④ 5마리

M: There are three red birds and ______________

__________________ birds.

red 빨간 | bird 새 | blue 파란

TIPS There is/are는 '무엇이 있다'라는 표현으로, 단수에는 is를, 복수에는 are를 사용합니다. 여기서는 뒤에 three red birds and five blue birds로 복수이므로 are를 썼습니다.

10

다음 대화를 듣고, 남자의 여동생을 고르시오. .... (　　　)

①　②　③　④

W: Who is your sister?

M: She is ____________________

____________________.

who 누구 | sister 여동생, 누나 | wear 입다 | shorts 반바지

TIPS 그림에서 반바지를 입고 있는 소녀가 남자의 여동생입니다.

11

다음 대화를 듣고, 남자 아이 모습과 일치하는 그림을 고르시오. .... (　　　)

①　②　③　④

G: You __________________ __________________.
What's up?

B: My best friend moved to Busan.

look sad 슬퍼 보이다 | best friend 가장 친한 친구 | move 이사 가다

TIPS [look + 감정을 나타내는 형용사] 형태로 사용해서 '~해 보이다'라고 표현할 수 있습니다.
look happy 행복해 보이다　look excited 흥분해 보이다
look tired 피곤해 보이다

12

다음 대화를 듣고, 남자가 먹고 있는 것을 고르시오. ( )

① 사과 ② 복숭아
③ 딸기 ④ 바나나

W: Are you eating a peach?

M: No, I'm eating a ______________.

eat 먹다 | peach 복숭아 | banana 바나나

TIPS [be동사 + -ing] 형태는 지금 하고 있는 진행시제를 나타냅니다.

13

다음 대화를 듣고, 여자가 시장에서 사려는 물건을 고르시오. ( )

① 과일 ② 야채
③ 생선 ④ 고기

M: Where are you going?

W: I'm going to the ______________.

M: Why?

W: I need ______________ ______________.

where 어디 | market 시장 | why 왜 | need 필요하다 | vegetable 야채

TIPS Why는 이유를 묻는 의문사로 대화에서는 시장에 가는 이유를 묻고 있습니다. vegetable(야채)을 들었다면 쉽게 풀 수 있습니다.

14

다음 대화를 듣고, 남자 아이가 주말에 간 곳을 고르시오. ( )

① 동물원 ② 영화관
③ 야구장 ④ 수족관

G: Did you have a good ______________?

B: Yes, I went to the ______________.

good 좋은 | weekend 주말 | went 가다(go)의 과거형 | aquarium 수족관

TIPS 과거 Did로 묻고 있으므로 동사도 맞춰서 과거형(went)으로 써야 합니다.

15

다음 대화를 듣고, 두 사람이 무엇에 관해 말하고 있는지 고르시오. ( )

① 좋아하는 과목
② 주말 계획
③ 취미 생활
④ 좋아하는 계절

W: Do you have ______________ ______________?

M: Yes, I like playing the piano. How about you?

W: I like ______________.

hobby 취미 | play the piano 피아노를 치다 | cook 요리하다

TIPS Do you have any hobbies?는 '너는 취미가 좀 있니?'라고 묻는 질문으로 취미에 대해 얘기하고 있음을 알 수 있습니다.

16

다음 그림을 보고, 그림과 일치하는 대화를 고르시오. ………………………………( )

① ② ③ ④

❶ M: How can I get to the bank?

W: ________ ________.

❷ M: Could you close the window?

W: Okay.

❸ M: How do you go to work?

W: I ________ a ________ to work.

❹ M: Where does he live?

W: He lives in Seoul.

get to ~에 도착하다 | bank 은행 | go straight 곧장 가다 | close the window 창문을 닫다 | ride a bike 자전거를 타다

TIPS 그림에서 남자가 은행에 가는 길을 묻고 있으므로 이때 어울리는 대화를 골라 보세요.

17

다음을 듣고, 이어질 말로 알맞은 것을 고르시오. ………………………………( )

M ________

① ② ③ ④

W: Sam, have a nice day!

❶ M: It's sunny today.

❷ M: ________. You, too.

❸ M: Long time no see.

❹ M: Nice to ________ ________.

sunny 맑은 | today 오늘 | too ~도, 역시 | meet 만나다

TIPS Have a nice day.는 '오늘, 잘 지내.'라는 의미도 있지만 식당 등에서 종업원이 손님에게 '안녕히 가세요.'라는 의미로도 사용합니다. Long time no see.(오랜만이야.)는 오랜만에 친구를 만날때 사용할 수 있습니다.

18

다음 대화를 듣고, 이어질 말로 알맞은 것을 고르시오. .... (　　　)

W ______________________

① ② ③ ④

W: You look sick today. What's the matter?

M: I think I ______________________

______________________ ______________________.

❶ W: You look happy.

❷ W: You ______________________ ______________________ go to the doctor.

❸ W: What a nice day!

❹ W: It's time to go to school.

sick 아픈 | matter 일, 문제 | think 생각하다 | have a cold 감기에 걸리다 | had better ~하는 편이 낫다 | go to the doctor 병원에 가다 | time 시간

TIPS [had better + 동사원형] 형태는 '~하는 편이 낫다'라는 의미로 상대방에게 충고나 조언을 할 때 흔히 사용하는 표현입니다.
had better go home 집에 가는 게 좋겠다
had better hurry up 서두르는 게 좋겠다

19

다음 대화를 듣고, 이어질 말로 알맞은 것을 고르시오. .... (　　　)

W ______________________

① Today is Thursday.
② It is sunny these days.
③ I will visit my grandparents.
④ Great. How are you doing?

W: Hi, Mike.

M: Hi, Sandy. ______________________ are ______________________ doing?

W: ______________________

Thursday 목요일 | sunny 맑은 | visit 방문하다 | grandparents 조부모 | these days 요즘

TIPS How are you doing?(어떻게 지내?)는 안부를 묻는 표현으로 Not bad. / Fine, thanks. / Very well, thanks. / Pretty good. / Good. 등으로 답변할 수 있습니다.

20

다음 대화를 듣고, 이어질 말로 알맞은 것을 고르시오. .... (　　　)

M ______________________

① Yes. Here you are.
② I will borrow two books.
③ Yes, I have a credit card.
④ I'm going to the library.

M: I want to ______________________ these books.

W: Do you have a ______________________ ______________________?

M: ______________________

want 원하다 | borrow 빌리다 | these 이(this)의 복수형 | library card 도서관 카드 | here you are 여기 있다 | credit card 신용카드

TIPS Do ~?로 묻는 의문문은 Yes/No로 대답합니다. Here you are.는 '여기 있어요.'라는 뜻으로 무언가를 전달하면서 쓸 수 있는 표현입니다.

14회 Sentence Check

● 앞에 모의고사에 나온 문장들을 잘 듣고, 한 번씩 써보세요.

01 That's very kind of you. 당신 무척 친절하시군요.

That's very kind of you.

02 Look at those clouds in the sky. 하늘에 저 구름들을 봐.

03 What a beautiful dress! 정말 아름다운 원피스구나!

04 There are three red birds and five blue birds. 빨간 새 세 마리와 파란 새 다섯 마리가 있다.

05 My best friend moved to Busan. 내 가장 친한 친구가 부산으로 이사 갔다.

06 I'm eating a banana. 나는 바나나를 먹고 있다.

07 I need some vegetables. 나는 야채가 좀 필요하다.

08 I went to the aquarium. 나는 수족관에 갔다.

09 Have a nice day! 오늘 잘 지내!

10 I will visit my grandparents. 나는 조부모님 댁에 방문할 것이다.

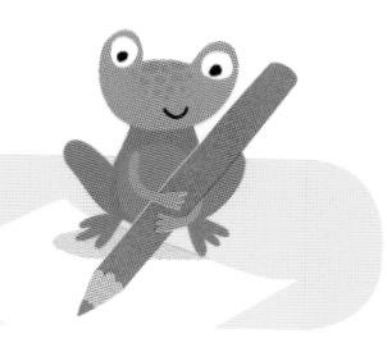

● 앞에 모의고사에 나온 대화들을 잘 듣고, 한 번씩 써보세요.

01
A Where are you going? 어디 가니?
B I'm going to the market. 나는 시장에 가고 있어.

▶ **A** Where are you going?

B I'm going to the market.

02
A Could you close the window? 창문을 닫아주실래요?
B Okay. 좋아요.

▶ **A**

B

03
A I think I have a cold. 나 감기 걸린 거 같아.
B You had better go to the doctor. 너 병원에 가는 게 좋겠다.

▶ **A**

B

04
A How are you doing? 어떻게 지내?
B Great. How are you doing? 잘 지내. 너는 어떻게 지내?

▶ **A**

B

05
A Do you have a library card? 도서관 카드 있나요?
B Yes. Here you are. 예. 여기 있어요.

▶ **A**

B

Chapter 15 Warm-up

학습일 월 일 부모님 확인 점수

Step 1 Theme Words 형용사

	strong	강한		weak	약한
	soft	부드러운		tall	키가 큰
	beautiful	아름다운		delicious	맛있는

Step 2 Expressions

- 형용사는 사람의 기분이나 외모 또는 사물의 크기나 모양 등을 설명해 주는 말입니다. 이러한 형용사를 이용해서 '정말 ~하구나!'라는 명사를 감탄하는 감탄문을 만들 수 있습니다.

What + [a(n)] + 형용사 + 명사!

- **a strong boy** 강한 소년

  What a strong boy! 정말 강한 소년이구나!

- **beautiful roses** 아름다운 장미

  What beautiful roses! 정말 아름다운 장미구나!

Tips

▶ 명사 감탄문에서 명사가 셀 수 있는 명사의 단수이면 a(n)을 형용사 앞에 붙이고, 복수이면 a(n)을 붙이지 않고 복수형을 사용합니다.

What a beautiful rose!
정말 아름다운 장미구나!
What strong boys!
정말 강한 소년들이구나!

Step 3 Dialogues

● 사람이나 사물을 보고 기쁨, 놀람, 슬픔 등의 감정을 표현하는 문장을 감탄문이라고 합니다. 명사를 감탄할 때는 What을 사용하고, 형용사나 부사를 감탄할 때는 [How + 형용사/부사 +(주어+동사)!] 형태로 사용합니다.

Ⓐ Look at that building. 저 건물을 봐.

Ⓑ Wow. **How tall** that building is! 와우. 정말 높은 건물이구나!

Practice

● 앞에서 배운 형용사를 이용해 감탄문을 만들어 보세요.

How soft this towel is! 정말 부드러운 수건이구나!

What a delicious **cake**! 정말 맛있는 케이크구나!

Word Preview

● 문제에 등장하는 단어들을 듣고, 미리 한 번씩 써보세요.

No.	Word	Meaning		No.	Word	Meaning	
01	movie	영화		02	sunset	석양	
03	rose	장미		04	now	지금	
05	lucky	행운의		06	carrot	당근	
07	short	짧은		08	spring	봄	
09	station	역		10	gloves	장갑	
11	smart-phone	스마트폰		12	cool	멋진	
13	get	얻다		14	doll	인형	
15	clean	청소하다		16	subject	과목	
17	watch	손목시계		18	hurt	다치다	
19	wrong	잘못된		20	toothache	치통	

15회 영어 듣기 모의고사

보통 속도

빠른 속도

학습일 월 일 부모님 확인 점수

1

다음을 듣고, 들려주는 낱말의 첫소리를 고르시오. ··································( )

_ovie

① m ② n
③ o ④ s

2

다음을 듣고, 단어 카드와 일치하는 낱말을 고르시오. ··································( )

① ② ③ ④

3

다음을 듣고, 계절에 관한 낱말이 <u>아닌</u> 것을 고르시오. ··································( )

① ② ③ ④

4

다음 들려주는 문장이 쓰이는 경우를 고르시오. ··································( )

① 감사할 때 ② 헤어질 때
③ 길을 물을 때 ④ 만났을 때

5

다음을 듣고, 여자가 보고 있는 것을 고르시오. ··································( )

①

②

③

④

6

다음 그림을 보고, 여자가 할 말로 알맞은 것을 고르시오. ·································( )

① ② ③ ④

7

다음을 듣고, 그림과 일치하는 설명으로 맞지 <u>않은</u> 것을 고르시오. ···················( )

① ② ③ ④

8

다음을 듣고, 일치하는 계절의 그림을 고르시오. ·······································( )

① 

② 

③ 

④ 

9

다음을 듣고, 남자 아버지의 직업을 고르시오. ···( )

① 선생님 ② 소방관
③ 의사 ④ 경찰관

10

다음 대화를 듣고, 오늘 달력을 고르시오. ···( )

①

11

Mon	Tue	Wed	Thur	Fri	Sat	Sun
	1	2	3	4	5	6
7	8	9	10	11	12	13
14	15	16	17	18	19	20
21	22	23	24	25	26	27
28	29	30	31			

② 

③ 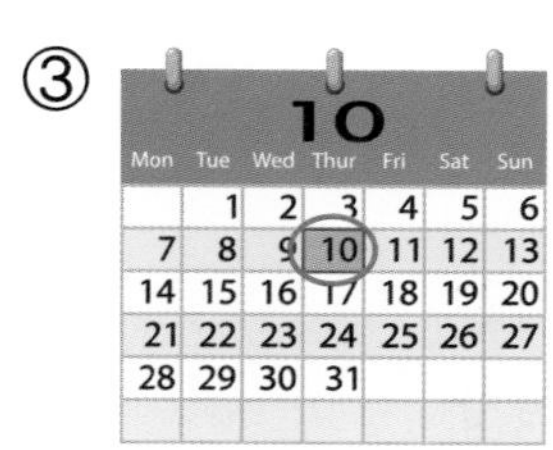

④ 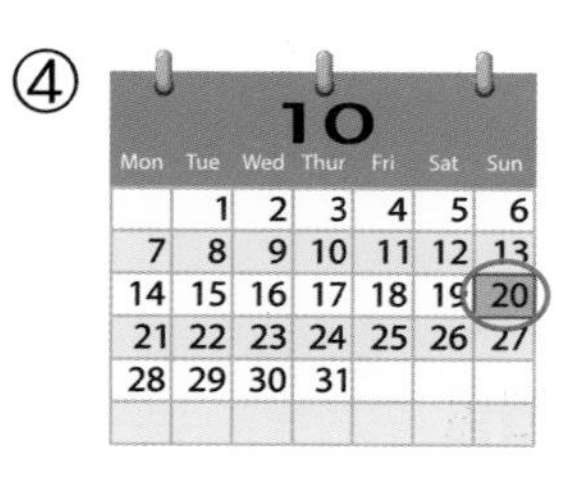

11

다음 대화를 듣고, 남자의 남동생을 고르시오. .... (　　　　)

① 

② 

③ 

④ 

12

다음 대화를 듣고, 남자가 지난 주말에 한 것을 고르시오. .... (　　　　)

① 낚시　② 야구 경기 관람
③ 컴퓨터 게임　④ 동물원 가기

13

다음 대화를 듣고, 여자가 찾고 있는 것을 고르시오. .... (　　　　)

① 가방　② 양말
③ 연필　④ 장갑

14

다음 대화를 듣고, 무엇에 관해 말하고 있는지 고르시오. .... (　　　　)

① 시계　② 컴퓨터
③ 휴대전화　④ 야구모자

15

다음 대화를 듣고, 대화가 이루어지는 장소를 고르시오. .... (　　　　)

① 은행　② 식당
③ 야채 가게　④ 영화관

16

다음 그림을 보고, 그림과 일치하는 대화를 고르시오. ………………………………( )

① ② ③ ④

17

다음 대화를 듣고, 남자 아이가 행복해 보이는 이유를 고르시오. ……………………( )

① 생일이어서
② 여행을 가서
③ 선물을 받아서
④ 시험을 잘 봐서

18

다음을 듣고, 이어질 말로 적절하지 않은 것을 고르시오. ……………………………( )

M ______________________________

① ② ③ ④

19

다음 대화를 듣고, 이어질 말로 알맞은 것을 고르시오. ………………………………( )

M ______________________________

① You're very lucky.
② That's too bad.
③ It's windy today.
④ That sounds great.

20

다음 대화를 듣고, 이어질 말로 알맞은 것을 고르시오. ………………………………( )

W ______________________________

① It's next Sunday.
② It was yesterday.
③ I'm going to buy a doll.
④ I go there by bus.

15회 Dictation 영어 듣기 모의고사

보통 속도 빠른 속도

정답 및 해석 p. 30

학습일 월 일 부모님 확인 점수

● 잘 듣고, 빈칸에 알맞은 말을 쓰세요.

1

다음을 듣고, 들려주는 낱말의 첫소리를 고르시오. ( )

_ovie

① m ② n
③ o ④ s

W: ____________________

movie 영화

TIPS 알파벳 M m 사운드는 mother(어머니)의 첫소리입니다.

2

다음을 듣고, 단어 카드와 일치하는 낱말을 고르시오. ( )

hobby

① ② ③ ④

❶ M: hospital

❷ M: ____________________

❸ M: baby

❹ M: ____________________

hospital 병원 | happy 행복한 | baby 아기 | hobby 취미

3

다음을 듣고, 계절에 관한 낱말이 아닌 것을 고르시오. ( )

① ② ③ ④

❶ W: spring

❷ W: ____________________

❸ W: winter

❹ W: ____________________

spring 봄 | summer 여름 | winter 겨울 | December 12월

TIPS 계절을 나타내는 단어들에는 spring(봄), summer(여름), fall(가을), winter(겨울)가 있습니다. December는 '12월'로 달을 나타내는 단어입니다.

4

다음 들려주는 문장이 쓰이는 경우를 고르시오. ( )

① 감사할 때 ② 헤어질 때
③ 길을 물을 때 ④ 만났을 때

M: Could you ____________ me the way to the ____________?

show 보여주다 | way 방법 | station 역

TIPS Could you show me the way to the station?은 '역에 가는 법을 알려주시겠어요?'라는의미로 길을 물을 때 쓰는 표현입니다. 답변으로 사용할 수 있는 길 안내 표현으로는 다음과 같은 것들이 있습니다.
go straight 곧장 가다 turn right 오른쪽으로 돌다
go down (언덕 등을) 내려가다 go up (언덕 등을) 올라가다

5

다음을 듣고, 여자가 보고 있는 것을 고르시오. ······································ (   )

①  ②  ③  ④

W: What a ____________________ sunset!

beautiful 아름다운 | sunset 석양

TIPS [What + a(n) + 형용사 + 명사!] 형태는 감정을 표현하는 문장으로 '정말 ~하구나!'라는 의미의 감탄문입니다.

6

다음 그림을 보고, 여자가 할 말로 알맞은 것을 고르시오. ································ (   )

① ② ③ ④

❶ W: What a beautiful rose!

❷ W: ____________________ ____________________ is it now?

❸ W: What do you want to eat?

❹ W: ____________________ ____________________ is it today?

beautiful 아름다운 | rose 장미 | now 지금 | eat 먹다 | day 날 | today 오늘

TIPS What time is it now?(지금 몇 시예요?)는 시간을 묻는 표현이고, What day is it today?(오늘 무슨 요일이에요?)는 요일을 묻는 표현입니다.

7

다음을 듣고, 그림과 일치하는 설명으로 맞지 않은 것을 고르시오. ··················· (   )

① ② ③ ④

❶ M: He is wearing ____________________.

❷ M: He is wearing a ____________________.

❸ M: He is using a computer.

❹ M: He is ____________________ outside.

wear 착용하다 | glasses 안경 | watch 손목시계 | use 사용하다 | outside 밖에서

TIPS 동사 wear는 옷이나 모자, 구두 등을 입거나 쓰거나 신는다고 할 때 모두 사용할 수 있으며, 장식물 등을 몸에 달거나 찬다고 할 때도 쓸 수 있습니다.

wear a shirt 셔츠를 입다　　wear glasses 안경을 끼다
wear shoes 신발을 신다　　wear earrings 귀걸이를 차다

8

다음을 듣고, 일치하는 계절의 그림을 고르시오. ………………………………( )

① ② ③ ④

W: Look at the flowers. ________________ is coming.

look at ~을 보다 | flower 꽃 | spring 봄

TIPS Spring is coming.은 '봄이 오고 있다.'는 의미로 자주 쓰는 표현입니다.

9

다음을 듣고, 남자 아버지의 직업을 고르시오. ………………………………( )

① 선생님 ② 소방관
③ 의사 ④ 경찰관

W: What does your father do?

M: He is a ________________ ________________.

father 아버지 | police officer 경찰관

TIPS What does your father do?(너는 아버지는 무슨 일을 하시니?)는 직업을 물을 때 사용하는 표현으로, What does your father do for a living?(너의 아버지는 생계를 위해서 무슨 일을 하시니?)이라고 물을 수도 있습니다.

10

다음 대화를 듣고, 오늘 달력을 고르시오. ………………………………( )

① ② ③ ④

W: What's ________________ ________________ today?

M: It is November 10.

date 날짜 | today 오늘 | November 11월

TIPS 날짜의 '일'을 말할 때는 순서를 가지는 서수로 말합니다.
March first 3월 1일 February Second 2월 2일

11

다음 대화를 듣고, 남자의 남동생을 고르시오. ………………………………( )

① ② ③ ④

W: What does your brother look like?

M: He has ________________ ________________ and is wearing ________________.

look like 생기다, 닮다 | short hair 짧은 머리 | glasses 안경

12

다음 대화를 듣고, 남자가 지난 주말에 한 것을 고르시오. .... (   )

① 낚시 ② 야구 경기 관람
③ 컴퓨터 게임 ④ 동물원 가기

W: What did you do last Sunday?

M: I ________________ ________________ with my dad.

W: Do you like fishing?

M: Yes, ________________ ________________.

last Sunday 지난 일요일 | go fishing 낚시하러 가다 | with ~와 함께

TIPS 여자가 과거를 나타내는 시간의 부사 last Sunday(지난 일요일)에 대해 묻고 있으므로 동사도 맞춰서 go의 과거형 went로 써야 합니다.

13

다음 대화를 듣고, 여자가 찾고 있는 것을 고르시오. .... (   )

① 가방 ② 양말
③ 연필 ④ 장갑

M: What are you looking for?

W: I'm looking for ________________ ________________.

M: Are these yours?

W: Yes, ________________ ________________. Thank you.

look for ~을 찾다 | gloves 장갑 | these 이것들

TIPS 지시대명사 this/these는 가까운 단수/복수를, that/those는 멀리 있는 단수/복수를 나타냅니다.

14

다음 대화를 듣고, 무엇에 관해 말하고 있는지 고르시오. .... (   )

① 시계 ② 컴퓨터
③ 휴대전화 ④ 야구모자

G: What do you have in your hand?

B: It's a ________________.

G: Wow, it ________________ ________________. Where did you get it?

B: My dad bought it for me.

have 가지다 | in one's hand 손에 | smartphone 스마트폰 | cool 멋진 | get 얻다 | bought 사다(buy)의 과거형

TIPS [look + 형용사] 형태로 사용해서 '~해 보이다'라고 표현할 수 있습니다.

look cool 멋져 보이다 look expensive 비싸 보이다
look cheap 싸 보이다 look good 좋아 보이다

15

다음 대화를 듣고, 대화가 이루어지는 장소를 고르시오. ································ (　　　)

① 은행　　② 식당
③ 야채 가게　　④ 영화관

W: May I help you?

M: I want to ________________ some ________________.

W: How many carrots do you want?

M: Five, please.

help 돕다 | want 원하다 | buy 사다 | carrot 당근

TIPS
- May I help you?는 '무엇을 도와드릴까요?'라는 의미로 가게에서 흔히 들을 수 있는 표현입니다. Can I help you?로 바꿔 쓸 수도 있습니다.
- 여기서는 단어 carrot을 통해서 '야채 가게'임을 유추할 수 있습니다.

16

다음 그림을 보고, 그림과 일치하는 대화를 고르시오. ································ (　　　)

① ② ③ ④

❶ G: Are you okay?

B: No, I ________________ my ________________.

❷ G: What are you doing?

B: I'm ________________ my room.

❸ G: Can you ride a bike?

B: Yes, I can.

❹ G: What's your favorite subject?

B: I like music.

hurt 다치다 | clean 청소하다 | ride a bike 자전거를 타다 | favorite 좋아하는 | subject 과목 | music 음악

TIPS 그림에서 남자 아이가 다리를 다쳤으므로, 이때 어울리는 대화를 골라 보세요.

17

다음 대화를 듣고, 남자 아이가 행복해 보이는 이유를 고르시오. ······················ (　　　)

① 생일이어서
② 여행을 가서
③ 선물을 받아서
④ 시험을 잘 봐서

G: David, you look happy today.

B: Yes. I got an A on the ________________ ________________.

G: Oh, you did a great job.

look happy 행복해 보이다 | get an A A를 받다 | English test 영어시험 | job 일

TIPS 남자 아이가 영어시험에서 A를 받아서 행복해 하고 있습니다.

18

다음을 듣고, 이어질 말로 적절하지 않은 것을 고르시오. .... (　　　)

M ______________________

① ② ③ ④

W: ______________ ______________ do you like?

❶ M: I like red and blue.

❷ M: I love purple.

❸ M: I have ______________ ______________.

❹ M: I like sky blue the most.

color 색 | purple 보라색 | pants 바지 | sky blue 하늘색

TIPS What color do you like?(너는 무슨 색을 좋아해?)라고 묻고 있으므로 '색'을 대답하는 것이 어울립니다. black pants는 '검은색 바지'로 옷을 언급하고 있습니다.

19

다음 대화를 듣고, 이어질 말로 알맞은 것을 고르시오. .... (　　　)

M ______________________

① You're very lucky.
② That's too bad.
③ It's windy today.
④ That sounds great.

M: You don't ______________ ______________. What's wrong?

W: I have a ______________.

M: ______________________________

look good 좋아 보이다 | wrong 잘못된 | have a toothache 치통이 있다 | lucky 행운의 | windy 바람 부는

TIPS 아픈 곳을 말할 때 have를 써서 표현할 수 있습니다.
have a headache 두통이 있다
have a stomachache 복통이 있다
have an earache 귀가 아프다

20

다음 대화를 듣고, 이어질 말로 알맞은 것을 고르시오. .... (　　　)

W ______________________

① It's next Sunday.
② It was yesterday.
③ I'm going to buy a doll.
④ I go there by bus.

W: Can you come to my ______________ ______________?

M: Sure, I'd love to. ______________ is it?

W: ______________________________

birthday party 생일 파티 | sure 물론 | when 언제 | next Sunday 다음 주 일요일 | yesterday 어제 | doll 인형

TIPS 대화에서 When is it?은 생일이 언제인지 묻는 것으로 어울리는 답변을 골라 보세요.

15회

Sentence Check

● 앞에 모의고사에 나온 문장들을 잘 듣고, 한 번씩 써보세요.

01 What a beautiful sunset! 정말 아름다운 석양이구나!

What a beautiful sunset!

02 Spring is coming. 봄이 오고 있다.

03 He has short hair and is wearing glasses. 그는 짧은 머리에 안경을 쓰고 있다.

04 I went fishing with my dad. 나는 아빠와 낚시하러 갔다.

05 I'm looking for my gloves. 나는 내 장갑을 찾고 있다.

06 My dad bought it for me. 아빠가 나에게 그것을 사주셨다.

07 I want to buy some carrots. 나는 당근을 좀 사고 싶다.

08 I hurt my leg. 나는 다리를 다쳤다.

09 I got an A on the English test. 나는 영어 시험에서 A를 받았다.

10 You did a great job. 잘했다.

15회 Dialogue Check

● 앞에 모의고사에 나온 대화들을 잘 듣고, 한 번씩 써보세요.

01 **A** What's the date today? 오늘 며칠이야?
B It is November 10. 11월 10일이야.

▶ **A** What's the date today?
B It is November 10.

02 **A** What do you have in your hand? 너 손에 뭐 가지고 있니?
B It's a smartphone. 스마트폰이야.

▶ **A**
B

03 **A** Can you ride a bike? 너 자전거 탈 수 있니?
B Yes, I can. 응, 탈 수 있어.

▶ **A**
B

04 **A** What color do you like? 너는 무슨 색을 좋아하니?
B I like sky blue the most. 나는 하늘색을 가장 좋아해.

▶ **A**
B

05 **A** Can you come to my birthday party? 내 생일 파티에 올 수 있니?
B Sure, I'd love to. 물론, 가고 싶어.

▶ **A**
B

1회 Vocabulary

● 다음 들려주는 단어를 듣고 세 번씩 써보세요.

01	letter	편지			
02	textbook	교과서			
03	half	30분			
04	quarter	15분			
05	classmate	반 친구			
06	wrong	잘못된			
07	quiet	조용한			
08	wing	날개			
09	fly	날다			
10	sky	하늘			
11	bookstore	서점			
12	too	역시, 또한			
13	uncle	삼촌			
14	time	시간			
15	gold	금			
16	clock	시계			
17	smartphone	스마트폰			
18	go to	~에 가다			
19	younger brother	남동생			
20	here you are	여기 있다			

Vocabulary

● 다음 들려주는 단어를 듣고 세 번씩 써보세요.

01	bee	벌			
02	ring	반지			
03	director	감독			
04	building	건물			
05	chef	주방장			
06	light	빛, 불			
07	raise	들어 올리다			
08	draw	그리다			
09	wall	벽			
10	smell	냄새 맡다			
11	pilot	비행기조종사			
12	headache	두통			
13	hungry	배고픈			
14	sandwich	샌드위치			
15	post office	우체국			
16	turn off	(불 등을) 끄다			
17	turn on	(불 등을) 켜다			
18	air conditioner	에어컨			
19	go to bed	자러 가다			
20	name tag	이름표			

3회 Vocabulary

● 다음 들려주는 단어를 듣고 세 번씩 써보세요.

01	violin	바이올린			
02	nurse	간호사			
03	garden	정원			
04	kitchen	부엌			
05	bathroom	화장실			
06	homework	숙제			
07	thirsty	목마른			
08	giraffe	기린			
09	math	수학			
10	circle	원			
11	congratulations	축하해			
12	name	이름			
13	favorite	좋아하는			
14	sport	스포츠, 운동			
15	volleyball	배구			
16	idea	생각			
17	tennis player	테니스 선수			
18	take care of	~을 돌보다			
19	play baseball	야구하다			
20	watch out	조심하다			

Vocabulary

● 다음 들려주는 단어를 듣고 세 번씩 써보세요.

01	key	열쇠			
02	jacket	재킷			
03	kangaroo	캥거루			
04	round	둥근			
05	beautiful	아름다운			
06	move	옮기다			
07	again	다시			
08	borrow	빌리다			
09	color	색			
10	always	언제나			
11	clean	청소하다			
12	umbrella	우산			
13	pleasure	즐거움			
14	newspaper	신문			
15	lose	잃어버리다			
16	have a headache	두통이 있다			
17	wash one's hands	손을 씻다			
18	look at	~을 보다			
19	library card	도서관 카드			
20	in the future	장래에			

5회 Vocabulary

● 다음 들려주는 단어를 듣고 세 번씩 써보세요.

01	zebra	얼룩말			
02	morning	아침			
03	afternoon	오후			
04	evening	저녁			
05	elephant	코끼리			
06	job	일			
07	cloudy	흐린			
08	outside	밖에			
09	clothes	옷			
10	night	밤			
11	neck	목			
12	usually	보통			
13	thin	얇은			
14	exciting	흥미진진한			
15	take off	(옷 등을) 벗다			
16	put on	(옷 등을) 입다			
17	have a cold	감기에 걸리다			
18	take a walk	산책하다			
19	pass the test	시험에 통과하다			
20	have a fight	싸우다			

6회 Vocabulary

● 다음 들려주는 단어를 듣고 세 번씩 써보세요.

01	circle	원			
02	circus	서커스			
03	city	도시			
04	wolf	늑대			
05	cookie	쿠키, 과자			
06	together	함께			
07	nose	코			
08	son	아들			
09	because	왜냐하면			
10	badminton	배드민턴			
11	then	그러면			
12	show	보여주다			
13	season	계절			
14	something	무언가			
15	of course	물론			
16	runny nose	콧물			
17	have a fever	열이 있다			
18	go to school	학교에 가다			
19	go swimming	수영하러 가다			
20	at the corner	모퉁이에서			

7회 Vocabulary

● 다음 들려주는 단어를 듣고 세 번씩 써보세요.

01	kingdom	왕국			
02	glass	유리			
03	power	힘			
04	grow	자라다			
05	winter	겨울			
06	fruit	과일			
07	idea	생각			
08	here	여기에			
09	under	~ 아래에			
10	order	주문하다			
11	weekend	주말			
12	visit	방문하다			
13	great	훌륭한			
14	lesson	수업			
15	stomachache	복통			
16	take pictures	사진 찍다			
17	piano lesson	피아노 수업			
18	toy robot	장난감 로봇			
19	make dinner	저녁을 만들다			
20	come in	들어오다			

8회 Vocabulary

● 다음 들려주는 단어를 듣고 세 번씩 써보세요.

01	giant	커다란			
02	gym	체육관			
03	toothpaste	치약			
04	soap	비누			
05	photo	사진			
06	firefighter	소방관			
07	Christmas	크리스마스			
08	weather	날씨			
09	angry	화난			
10	birthday	생일			
11	why	왜			
12	park	공원			
13	straight	곧장			
14	block	블록			
15	pilot	비행기 조종사			
16	bus stop	버스 정류장			
17	wash the dishes	설거지하다			
18	listen to music	음악을 듣다			
19	next Friday	다음 주 금요일			
20	go to the dentist	치과에 가다			

9회 Vocabulary

● 다음 들려주는 단어를 듣고 세 번씩 써보세요.

01	queen	여왕			
02	shoulder	어깨			
03	week	주			
04	seek	찾다			
05	second	두 번째			
06	beach	해변			
07	miss	놓치다			
08	glasses	안경			
09	along	~을 따라			
10	no	조금의 ~도 없는			
11	noodles	국수			
12	accident	사고			
13	food	음식			
14	stay	머무르다			
15	younger sister	여동생			
16	get up	일어나다			
17	school bus	스쿨버스			
18	wear glasses	안경을 쓰다			
19	look sad	슬퍼 보이다			
20	high school	고등학교			

10회 Vocabulary

● 다음 들려주는 단어를 듣고 세 번씩 써보세요.

01	yawn	하품하다			
02	dream	꿈			
03	blow	불다			
04	south	남쪽			
05	north	북쪽			
06	east	동쪽			
07	yell	소리 지르다			
08	dive	다이빙하다			
09	place	장소, 곳			
10	skin	껍질			
11	stripe	줄무늬			
12	break	깨다			
13	sweet	달콤한			
14	cousin	사촌			
15	go out	나가다			
16	look for	~을 찾다			
17	English book	영어책			
18	have a headache	두통이 있다			
19	go straight	곧장 가다			
20	watch a movie	영화를 보다			

11회 Vocabulary

● 다음 들려주는 단어를 듣고 세 번씩 써보세요.

01	balloon	풍선			
02	soft	부드러운			
03	tired	피곤한			
04	people	사람들			
05	family	가족			
06	gift	선물			
07	shirt	셔츠			
08	where	어디			
09	raincoat	우비			
10	feel	느끼다			
11	tomorrow	내일			
12	around	~ 주위에			
13	campfire	모닥불			
14	problem	문제			
15	concert	콘서트			
16	blue jeans	청바지			
17	last night	지난밤에			
18	until late	늦게까지			
19	at night	밤에			
20	make a cake	케이크를 만들다			

12회 Vocabulary

● 다음 들려주는 단어를 듣고 세 번씩 써보세요.

01	parents	부모			
02	people	사람들			
03	introduce	소개하다			
04	myself	나 자신			
05	sheep	양			
06	field	들판			
07	horse	말			
08	yesterday	어제			
09	exciting	흥미진진한			
10	pasta	파스타			
11	surprise	놀람			
12	future	장래			
13	borrow	빌리다			
14	sure	물론, 확실히			
15	ride a bicycle	자전거를 타다			
16	help yourself	맛있게 먹다			
17	draw flowers	꽃을 그리다			
18	have a party	파티를 열다			
19	sick people	아픈 사람들			
20	over there	저쪽에			

13회 Vocabulary

● 다음 들려주는 단어를 듣고 세 번씩 써보세요.

01	child	아이			
02	church	교회			
03	subway	지하철			
04	cover	덮다			
05	ready	준비된			
06	woman	여자			
07	welcome	환영받는			
08	steal	훔치다			
09	someone	누군가			
10	pool	수영장			
11	movie	영화			
12	already	이미, 벌써			
13	near	가까운			
14	airplane	비행기			
15	a.m.	오전			
16	p.m.	오후			
17	be from	~ 출신이다			
18	go ahead	계속하다			
19	jump into	~으로 뛰어들다			
20	warm up	준비운동 하다			

14회 Vocabulary

● 다음 들려주는 단어를 듣고 세 번씩 써보세요.

01	cloud	구름			
02	move	이사 가다			
03	peach	복숭아			
04	market	시장			
05	vegetable	야채			
06	door	문			
07	aquarium	수족관			
08	bank	은행			
09	too	~도, 역시			
10	need	필요하다			
11	matter	일, 문제			
12	think	생각하다			
13	grandparents	조부모			
14	suit	정장			
15	shorts	반바지			
16	best friend	가장 친한 친구			
17	get to	~에 도착하다			
18	ride a bike	자전거를 타다			
19	had better	~하는 편이 낫다			
20	these days	요즘			

15회

Vocabulary

● 다음 들려주는 단어를 듣고 세 번씩 써보세요.

01	sunset	석양			
02	now	지금			
03	today	오늘			
04	use	사용하다			
05	flower	꽃			
06	spring	봄			
07	gloves	장갑			
08	smartphone	스마트폰			
09	cool	멋진			
10	lucky	행운의			
11	purple	보라색			
12	subject	과목			
13	date	날짜			
14	toothache	치통			
15	lucky	행운의			
16	look at	~을 보다			
17	police officer	경찰관			
18	look like	~처럼 생기다, 닮다			
19	last Sunday	지난 일요일			
20	go fishing	낚시하러 가다			

Longman

Listening mentor joy

LEVEL 2

정답 및 해석

Pearson

Longman

Listening mentor joy

정답 및 해석

1회 영어 듣기 모의고사

본책 p. 08

1 ④	2 ③	3 ②	4 ④	5 ①	6 ①	7 ③	8 ①	9 ①	10 ③
11 ②	12 ③	13 ①	14 ②	15 ②	16 ②	17 ③	18 ④	19 ④	20 ①

듣기 대본

본책 p. 12

1 ① W: lamp
② W: lemon
③ W: letter
④ W: river

2 ① M: violin

3 ① W: book
② W: textbook
③ W: test
④ W: tennis

4 ① M: o'clock
② M: half
③ M: quarter
④ M: classmate

5 W: vacation

6 M: What's wrong?

7 W: It's 7 o'clock.

8 B: Let's play soccer.

9 ① G: Be quiet, please.
② G: I'm sorry.
③ G: Can you swim?
④ G: Nice to meet you.

10 ① M: There are two books on the table.
② M: There are two chairs.
③ M: There are three chairs and one table.
④ M: There are one chair and three tables.

해석

1 ① 등
② 레몬
③ 편지
④ 강

2 바이올린

3 ① 책
② 교과서
③ 시험
④ 테니스

4 ① 시
② 30분
③ 15분
④ 반 친구

5 방학

6 M: 무슨 일이니?

7 W: 7시다.

8 B: 축구하자.

9 ① G: 조용히 해주세요.
② G: 미안해.
③ G: 수영할 수 있니?
④ G: 만나서 반가워.

10 ① M: 식탁 위에 책 두 권이 있다.
② M: 의자가 두 개 있다.
③ M: 의자 세 개와 식탁 한 개가 있다.
④ M: 의자 한 개와 식탁 세 개가 있다.

듣기 대본

11 W: This has wings.
This can fly in the sky.

12 B: I want to buy a new bicycle.

13 B: I have a bag.
G: What color is it?
B: It's green.

14 B: Where are you going?
G: I am going to the bookstore.

15 M: When is your birthday?
W: It's October 10.

16 ① W: I want some milk.
M: Okay.
② W: Nice to meet you.
M: Nice to meet you, too.
③ W: What's wrong?
M: I lost my bag.
④ W: Thank you.
M: You're welcome.

17 W: What's this?
① M: It's a book.
② M: It's my bicycle.
③ M: He is my uncle.
④ M: It's my bag.

18 M: What time is it?
① W: Time is gold.
② W: There is a clock on the wall.
③ W: I have no time.
④ W: It's 10 o'clock.

19 W: Do you have any brothers or sisters?
M: ① No, but I have a pencil.
② Yes, I can.
③ No, she is my mom.
④ Yes, I have one younger brother.

20 M: Can I use your smartphone?
W: ① Sure. Here you are.
② Look at the sky.
③ Yes, I can swim.
④ No, I can't dance.

해석

11 W: 이것은 날개가 있다.
이것은 하늘에서 날 수 있다.

12 B: 나는 새 자전거를 사고 싶다.

13 B: 나는 가방이 있어.
G: 무슨 색이야?
B: 초록색이야.

14 B: 어디 가고 있어?
G: 서점에 가고 있어.

15 M: 생일이 언제니?
W: 10월 10일이야.

16 ① W: 우유가 먹고 싶어.
M: 알았어.
② W: 만나서 반가워요.
M: 나도 만나서 반가워요.
③ W: 무슨 일이야?
M: 가방을 잃어버렸어.
④ W: 고마워.
M: 천만에.

17 W: 이게 뭐야?
① M: 그것은 책이야.
② M: 그것은 내 자전거야.
③ M: 내 삼촌이야.
④ M: 내 가방이야.

18 M: 몇 시니?
① W: 시간은 금이다.
② W: 벽에 시계가 있다.
③ W: 나는 시간이 없다.
④ W: 10시야.

19 W: 너는 형제나 자매가 있니?
M: ① 아니, 하지만 연필이 있어.
② 응, 할 수 있어.
③ 아니, 그녀는 나의 엄마야.
④ 응, 남동생이 있어.

20 M: 네 스마트폰을 사용해도 되니?
W: ① 물론. 여기 있어.
② 하늘을 봐.
③ 응, 나는 수영할 수 있어.
④ 아니, 나는 춤을 출 수 없어.

2회 영어 듣기 모의고사

본책 p. 22

1 ③	2 ①	3 ④	4 ④	5 ②	6 ①	7 ②	8 ④	9 ①	10 ①
11 ②	12 ③	13 ④	14 ①	15 ③	16 ②	17 ④	18 ④	19 ②	20 ②

듣기 대본

본책 p. 26

1 ① W: rabbit
② W: ring
③ W: name
④ W: ruler

2 M: monkey

3 ① W: bee
② W: bookstore
③ W: park
④ W: beach

4 ① M: nurse
② M: actor
③ M: movie director
④ M: building

5 W: post office

6 M: How old are you?

7 W: He is a chef.

8 ① M: Turn off the light.
② M: Turn on the light.
③ M: Turn off the television.
④ M: Turn on the air conditioner.

9 ① W: Don't jump on the bed.
② W: It's time to get up.
③ W: Raise your hand.
④ W: Go to bed.

10 ① M: The woman is painting the door.
② M: The woman is drinking coffee.
③ M: The man is drawing a picture.
④ M: The man is painting the wall.

11 W: This is on your face.
You smell through this.

해석

1 ① 토끼
② 반지
③ 이름
④ 자

2 원숭이

3 ① 벌
② 서점
③ 공원
④ 해변, 바닷가

4 ① 간호사
② 배우
③ 영화감독
④ 건물

5 우체국

6 M: 몇 살이니?

7 W: 그는 주방장이다.

8 ① M: 불을 꺼라.
② M: 불을 켜라.
③ M: 텔레비전을 꺼라.
④ M: 에어컨을 켜라.

9 ① W: 침대에서 뛰지 마라.
② W: 일어날 시간이야.
③ W: 손을 들어라.
④ W: 자러 가라.

10 ① M: 여자가 문을 페인트칠하고 있다.
② M: 여자가 커피를 마시고 있다.
③ M: 남자가 그림을 그리고 있다.
④ M: 남자가 벽을 칠하고 있다.

11 W: 이것은 여러분 얼굴에 있습니다.
여러분은 이것을 통해 냄새를 맡습니다.

듣기 대본

12 B: I want to be a pilot in the future.

13 G: Do you have a dog?
B: No, but I have three cats.

14 B: It's my first time at the museum.
G: Me, too. Look at those pictures.

15 M: Can you play the guitar?
W: No, but I can play the piano.

16 ① W: I'm hungry.
M: Wash your hands first.
② W: This is for you.
M: Wow, thank you.
③ W: What's wrong?
M: I have a headache.
④ W: Who is this?
M: He is my uncle.

17 W: How is the weather today?
① M: It's rainy.
② M: It's sunny.
③ M: It's windy.
④ M: It's my bicycle.

18 M: What's your name?
① W: His name is John.
② W: I have a friend.
③ W: It's my name tag.
④ W: My name is Susie.

19 W: What does your father do?
M: ① He is very tall.
② He is a bus driver.
③ He is my father.
④ Yes, I have a brother.

20 M: What do you want for lunch?
W: I want some sandwiches.
M: ① Yes, I'm hungry.
② Then, let's go to the food court.
③ No, I'm not hungry.
④ Let's go to the library.

해석

12 B: 나는 장래에 비행기 조종사가 되고 싶다.

13 G: 너는 개가 있니?
B: 아니, 나는 고양이가 세 마리 있어.

14 B: 박물관은 처음이야.
G: 나도 그래. 저 그림들을 봐.

15 M: 너는 기타 칠 수 있니?
W: 아니. 하지만 피아노는 칠 수 있어.

16 ① W: 나는 배고파.
M: 손부터 닦아.
② W: 너를 위한 거야.
M: 와우, 고마워.
③ W: 무슨 일이야?
M: 두통이 있어.
④ W: 이분은 누구야?
M: 내 삼촌이야.

17 W: 오늘 날씨가 어때?
① M: 비가 와.
② M: 맑아.
③ M: 바람이 불어.
④ M: 그것은 내 자전거야.

18 M: 당신 이름이 뭐예요?
① W: 그의 이름은 존이에요.
② W: 나는 친구가 있어요.
③ W: 이것은 내 이름표예요.
④ W: 내 이름은 수지예요.

19 W: 네 아버지는 뭐하시니?
M: ① 그는 키가 매우 커.
② 그는 버스운전사야.
③ 그는 나의 아버지야.
④ 응, 나는 형이 있어.

20 M: 점심으로 뭐 먹고 싶니?
W: 나는 샌드위치가 좀 먹고 싶어.
M: ① 응. 나는 배가 고파.
② 그럼, 푸드코트에 가자.
③ 아니, 나는 배고프지 않아.
④ 도서관에 가자.

3회 영어 듣기 모의고사

본책 p. 36

1 ④	2 ③	3 ①	4 ②	5 ④	6 ②	7 ①	8 ②	9 ①	10 ①
11 ④	12 ④	13 ②	14 ③	15 ④	16 ③	17 ④	18 ③	19 ①	20 ③

듣기 대본

본책 p. 40

1 ① W: watch
② W: water
③ W: window
③ W: violin

2 M: nurse

3 ① W: garden
② W: gold
③ W: giraffe
④ W: good

4 ① M: room
② M: classroom
③ M: kitchen
④ M: bathroom

5 W: homework

6 W: What does your father do?

7 B: I want to be a tennis player.

8 ① M: Let's take care of the baby.
② M: Can you take care of the cats?
③ M: Can you take care of the dogs?
④ M: Let's play baseball.

9 ① G: Watch out!
② G: I have some water.
③ G: I'm thirsty.
④ G: Be quiet.

10 ① B: I am studying math.
② B: I am singing.
③ B: I am drawing a circle.
④ B: I am studying English.

11 ① W: Happy birthday.
② W: Congratulations.
③ W: I'm so sorry.
④ W: Thank you very much.

해석

1 ① 손목시계
② 물
③ 창문
④ 바이올린

2 간호사

3 ① 정원
② 금
③ 기린
④ 좋은

4 ① 방
② 교실
③ 부엌
④ 화장실

5 숙제

6 W: 너의 아버지는 무슨 일을 하시니?

7 B: 나는 테니스 선수가 되고 싶다.

8 ① M: 아기를 돌보자.
② M: 고양이들을 돌봐주겠니?
③ M: 개들을 돌봐주겠니?
④ M: 야구하자.

9 ① G: 조심해.
② G: 나는 물이 좀 있다.
③ G: 나는 목이 마르다.
④ G: 조용히 해.

10 ① B: 나는 수학 공부를 하고 있다.
② B: 나는 노래 부르고 있다.
③ B: 나는 원을 그리고 있다.
④ B: 나는 영어 공부를 하고 있다.

11 ① W: 생일 축하해.
② W: 축하해.
③ W: 정말 미안해.
④ W: 무척 고마워.

듣기 대본

12 W: Look out the window!
M: Oh, it's snowing.

13 W: Look at that building!
M: Wow, it's very tall.

14 W: May I help you?
B: Yes, I'm looking for a pencil case and pencils.
W: They are over there.

15 M: What's your favorite sport?
W: I like tennis. How about you?
M: I like volleyball.

16 ① W: What's your name?
M: My name is Paul.
② W: How are you?
M: I'm fine.
③ W: What's wrong?
M: I have a headache.
④ W: Who is this?
M: She is my aunt.

17 G: Let's play badminton at the park.
① B: That's a good idea.
② B: Okay.
③ B: I'd love to, but I can't.
④ B: Yes, it is.

18 M: What color is it?
① W: I'm in my room.
② W: It's Monday.
③ W: It's yellow.
④ W: I like chicken.

19 W: John, are you busy?
M: No, not at all.
W: Then, can you help me?
M: ① Sure. No problem.
② No, I'm busy.
③ Yes, I can wash the dishes.
④ Yes, I have a car.

20 M: Where is Sally?
W: She's in the living room.
M: What is she doing there?
W: ① Yes, I am.
② Then, let's play computer games.
③ She's watching TV.
④ I'm in my room.

해석

12 W: 창밖을 봐!
M: 오, 눈이 오네.

13 W: 저 건물을 봐!
M: 오, 매우 높구나.

14 W: 도와줄까요?
B: 예, 필통과 연필을 찾고 있어요.
W: 저쪽에 있어요.

15 M: 네가 좋아하는 스포츠는 뭐야?
W: 나는 테니스를 좋아해. 너는 어때?
M: 나는 배구를 좋아해.

16 ① W: 이름이 뭐야?
M: 내 이름은 폴이야.
② W: 어떻게 지내?
M: 좋아.
③ W: 무슨 일이야?
M: 두통이 있어.
④ W: 이분은 누구야?
M: 내 고모야.

17 G: 공원에서 배드민턴을 치자.
① B: 좋은 생각이야.
② B: 좋아.
③ B: 그러고 싶은데 안 돼.
④ B: 응, 그래.

18 M: 그거 무슨 색이니?
① W: 나는 내 방에 있어.
② W: 월요일이야.
③ W: 노란색이야.
④ W: 나는 치킨을 좋아해.

19 W: 존, 바쁘니?
M: 아니, 전혀.
W: 그럼 나 좀 도와줄 수 있니?
M: ① 그럼. 문제없어.
② 아니, 난 바빠.
③ 응, 난 설거지를 할 수 있어.
④ 응, 난 자동차가 있어.

20 M: 샐리 어디에 있니?
W: 그녀는 거실에 있어.
M: 거기서 뭐하고 있어?
W: ① 응. 그래.
② 그럼 컴퓨터 게임하자.
③ 그녀는 TV를 보고 있어.
④ 나는 내 방에 있어.

4회 영어 듣기 모의고사

본책 p. 50

1 ③	2 ②	3 ②	4 ④	5 ①	6 ③	7 ①	8 ④	9 ②	10 ①
11 ④	12 ③	13 ①	14 ①	15 ②	16 ①	17 ④	18 ④	19 ③	20 ①

듣기 대본

본책 p. 54

1 ① W: kangaroo
② W: key
③ W: guitar
④ W: king

2 M: jacket

3 ① W: beautiful
② W: building
③ W: blue
④ W: library

4 ① M: round
② M: big
③ M: small
④ M: desk

5 W: bakery

6 M: Let's play tennis.

7 B: I have a headache.

8 ① M: Wash your hands.
② M: Clean your room.
③ M: Move the desk.
④ M: Can you move the boxes?

9 ① G: Watch out!
② G: I'm sorry.
③ G: See you again.
④ G: I'm happy.

10 ① M: The man is reading a newspaper.
② M: The man is buying a book.
③ M: The man is singing.
④ M: The man is learning English.

11 W: This is a flower. The color of this flower is yellow. This always looks at the sun.

해석

1 ① 캥거루
② 열쇠
③ 기타
④ 왕

2 재킷

3 ① 아름다운
② 건물
③ 파란색
④ 도서관

4 ① 둥근
② 큰
③ 작은
④ 책상

5 빵집

6 M: 테니스를 치자.

7 B: 나는 두통이 있다.

8 ① M: 네 손을 닦아라.
② M: 네 방을 청소해라.
③ M: 책상을 옮겨라.
④ M: 상자들을 옮겨줄 수 있니?

9 ① G: 조심해.
② G: 죄송해요.
③ G: 또 보자.
④ G: 나는 행복해.

10 ① M: 남자가 신문을 읽고 있다.
② M: 남자가 책을 사고 있다.
③ M: 남자가 노래하고 있다.
④ M: 남자가 영어를 배우고 있다.

11 W: 이것은 꽃이다. 이 꽃의 색은 노란색이다. 이것은 언제나 태양을 본다.

듣기 대본

12 G: What are you doing, Mike?
B: I am cleaning my room.

13 G: Is there a clock in the classroom?
B: Yes, there is a round clock on the wall.

14 M: Can I borrow this book?
W: Do you have a library card?
M: No, I don't.

15 B: What do you want to be in the future?
G: I want to be a singer.

16 ① W: It's raining. Take your umbrella.
B: Okay, Mom.
② W: How is the weather?
B: It's sunny.
③ W: What's this?
B: It is an umbrella.
④ W: Who is this?
B: She is my mom.

17 M: Hi, Lisa. This is my friend, Tom.
① W: Nice to meet you.
② W: I've heard about you.
③ W: Pleasure to meet you.
④ W: Thank you.

18 W: Who is this?
① M: She is my friend.
② M: He is my father.
③ M: She is my sister.
④ M: I love my younger brother.

19 M: How are you doing?
W: I'm fine. How about you?
M: ① Good.
② Not bad.
③ I'm sorry.
④ Couldn't be better.

20 M: Why are you crying?
W: I lost my bag.
M: What does it look like?
W: ① It is yellow and round.
② Yes, I can.
③ I'm looking for my bag.
④ I have a small bag.

해석

12 G: 뭐하고 있어, 마이크?
B: 나는 내 방 청소를 하고 있어.

13 G: 교실에 시계가 있니?
B: 응, 벽에 둥근 시계가 있어.

14 M: 이 책을 빌릴 수 있나요?
W: 도서관 카드 있어요?
M: 아니, 없어요.

15 B: 너는 장래에 뭐가 되고 싶어?
G: 나는 가수가 되고 싶어.

16 ① W: 비가 오고 있어. 우산 가지고 가.
B: 예, 엄마.
② W: 날씨가 어때?
B: 맑아요.
③ W: 이게 뭐야?
B: 이것은 우산이에요.
④ W: 이분은 누구야?
B: 그녀는 내 엄마예요.

17 M: 안녕, 리사. 여기는 내 친구 톰이야.
① W: 만나서 반가워.
② W: 너에 대해 들었어.
③ W: 만나서 기뻐.
④ W: 고마워.

18 W: 이 사람은 누구야?
① M: 그녀는 내 친구야.
② M: 그는 내 아버지야.
③ M: 그녀는 내 누나야.
④ M: 나는 내 남동생을 사랑해.

19 M: 어떻게 지내?
W: 좋아. 너는 어때?
M: ① 좋아.
② 나쁘지 않아.
③ 미안해.
④ 이보다 더 좋을 수 없어.

20 M: 왜 울고 있니?
W: 나 가방을 잃어버렸어.
M: 그거 어떻게 생겼니?
W: ① 노란색이고 둥근 모양이야.
② 응, 할 수 있어.
③ 나는 가방을 찾고 있어.
④ 나는 작은 가방이 있어.

5회 영어 듣기 모의고사

본책 p. 64

1 ④	2 ③	3 ①	4 ②	5 ③	6 ①	7 ③	8 ②	9 ①	10 ③
11 ②	12 ①	13 ④	14 ③	15 ①	16 ④	17 ③	18 ③	19 ①	20 ②

듣기 대본

본책 p. 68

1 ① W: car
② W: computer
③ W: color
④ W: song

2 M: zebra

3 ① W: river
② W: love
③ W: read
④ W: live

4 ① M: evening
② M: lunch
③ M: morning
④ M: afternoon

5 W: elephant

6 M: Good job!

7 W: It is cloudy outside.

8 ① M: Take off your shoes.
② M: Put on your clothes.
③ M: Turn on the light.
④ M: Turn off the light.

9 ① M: Good night!
② M: I'm sick.
③ M: I have a cold.
④ M: Get up.

10 ① W: The boy is going to school.
② W: The man is cooking.
③ W: The boy is having lunch.
④ W: The man is drinking milk.

11 M: This is an animal. This has a long neck and four legs.

해석

1 ① 자동차
② 컴퓨터
③ 색
④ 노래

2 얼룩말

3 ① 강
② 사랑하다
③ 읽다
④ 살다

4 ① 저녁
② 점심식사
③ 아침
④ 오후

5 코끼리

6 M: 잘했어!

7 W: 밖이 흐리다.

8 ① M: 신발을 벗어라.
② M: 옷을 입어라.
③ M: 불을 켜라.
④ M: 불을 꺼라.

9 ① M: 잘 자라.
② M: 나는 아파.
③ M: 나는 감기 걸렸어.
④ M: 일어나라.

10 ① W: 소년이 학교에 가고 있다.
② W: 남성이 요리를 하고 있다.
③ W: 소년이 점심을 먹고 있다.
④ W: 남성이 우유를 마시고 있다.

11 M: 이것은 동물이다. 그리고 이것은 긴 목과 네 개의 다리를 가지고 있다.

듣기 대본

12 M: What do you do in the afternoon?
W: I usually take a walk.

13 G: Is this your book?
B: No, my book is thin and blue.

14 M: Are you ready to order?
W: Yes, I will have the pasta.

15 W: Did you enjoy the movie?
M: Yes, the movie was exciting.

16 ① W: Take off your shoes.
B: Okay, Mom.
② W: You look happy.
B: Yes, I passed the test.
③ W: What's this?
B: It is my dog.
④ W: What's the matter?
B: I had a fight with my friend.

17 M: What does your mother do?
① W: She is a teacher.
② W: She is a doctor.
③ W: She is my mom.
④ W: She is a singer.

18 G: What did you do last weekend?
① B: I went to the zoo.
② B: I visited my grandmother.
③ B: I want to be a doctor.
④ B: I played tennis.

19 M: Are you going to John's birthday party?
W: Yes. How about you?
M: ① I'd like to, but I can't.
② Sounds good.
③ See you later.
④ I'll buy a gift.

20 M: May I help you?
W: Do you have cucumbers?
M: Sure. How many cucumbers do you need?
W: ① I have two cucumbers.
② Five, please.
③ She is ten years old.
④ I need two apples.

해석

12 M: 오후에 뭐해?
W: 나는 보통 산책해.

13 G: 이게 네 책이니?
B: 아니, 내 책은 얇고 파란색이야.

14 M: 주문하실래요?
W: 예, 파스타로 주세요.

15 W: 영화는 재미있었니?
M: 응, 영화가 흥미진진했어.

16 ① W: 신발을 벗어라.
B: 예, 엄마.
② W: 행복해 보이네.
B: 예, 시험에 통과했어요.
③ W: 이게 뭐야?
B: 이것은 내 개예요.
④ W: 무슨 일이야?
B: 친구랑 싸웠어요.

17 M: 너의 어머니는 무슨 일을 하시니?
① W: 그녀는 선생님이야.
② W: 그녀는 의사야.
③ W: 그녀는 내 엄마야.
④ W: 그녀는 가수야.

18 G: 지난 주말에 뭐했어?
① B: 동물원에 갔어.
② B: 할머니 댁에 갔어.
③ B: 나는 의사가 되고 싶어.
④ B: 나는 테니스를 쳤어.

19 M: 존의 생일 파티에 갈 거니?
W: 응, 너는 어때?
M: ① 가고 싶지만 갈 수 없어.
② 좋아.
③ 나중에 봐.
④ 나는 선물을 살 거야.

20 M: 도와드릴까요?
W: 오이 있나요?
M: 물론이죠. 오이가 얼마나 필요하신가요?
W: ① 나는 오이 두 개가 있어요.
② 다섯 개 주세요.
③ 그녀는 10살이에요.
④ 나는 사과 두 개가 필요해요.

6회 영어 듣기 모의고사

본책 p. 78

1 ③	2 ①	3 ②	4 ④	5 ④	6 ③	7 ②	8 ①	9 ①	10 ②
11 ③	12 ①	13 ①	14 ④	15 ①	16 ②	17 ③	18 ③	19 ②	20 ④

듣기 대본

본책 p. 82

1 ① W: circle
② W: circus
③ W: king
④ W: city

2 M: letter

3 ① W: lion
② W: wolf
③ W: wife
④ W: fox

4 ① M: headache
② M: runny nose
③ M: cold
④ M: rainy

5 W: restaurant

6 M: Would you like some cookies?

7 G: I have a cold.

8 ① W: What's the matter?
② W: I'm happy.
③ W: I have a fever.
④ W: What is it?

9 ① M: They are watching TV.
② M: They are going to school together.
③ M: They are playing computer games.
④ M: They are playing soccer together.

10 W: This is an animal. It has a long nose and big ears.

11 B: What do you do after school?
G: I usually go swimming.

12 W: Who is this boy?
M: He is my son. He likes soccer.

해석

1 ① 원
② 서커스
③ 왕
④ 도시

2 편지

3 ① 사자
② 늑대
③ 부인
④ 여우

4 ① 두통
② 콧물
③ 감기
④ 비 오는

5 식당

6 M: 쿠키 좀 먹을래?

7 G: 나는 감기에 걸렸다.

8 ① W: 어디 아프니?
② W: 나는 행복해.
③ W: 나는 열이 있어.
④ W: 그것은 뭐야?

9 ① M: 그들은 TV를 보고 있다.
② M: 그들은 함께 학교에 가고 있다.
③ M: 그들은 컴퓨터 게임을 하고 있다.
④ M: 그들은 함께 축구를 하고 있다.

10 W: 이것은 동물이다. 이것은 긴 코와 커다란 귀를 가지고 있다.

11 B: 방과 후 뭐하니?
G: 나는 보통 수영하러 가.

12 W: 이 소년은 누구야?
M: 그는 내 아들이야. 그는 축구를 좋아해.

듣기 대본

13 G: You look happy.
B: It's because today is my birthday.

14 G: Let's play tennis.
B: I can't play tennis, but I can play badminton.
G: Oh, then let's play badminton.

15 W: Excuse me. Would you show me the way to the museum?
M: Go straight and turn right at the corner.
W: Thank you.

16 ① W: Can you come to my birthday party?
M: Of course.
② W: What time is it?
M: It's 3 o'clock.
③ W: Where is the bus stop?
M: It is next to the bakery.
④ W: What is your favorite season?
M: I like winter.

17 G: Who is that man?
① B: He is my older brother.
② B: He is John's father.
③ B: He is reading a book.
④ B: He is my math teacher.

18 M: Do you have a dog?
① W: Yes, it is.
② W: No, it isn't.
③ W: No, but I have a cat.
④ W: I like dogs.

19 G: Dad, I have something to tell you.
M: What is it?
G: Can I go to the museum with my friends?
M: ① No, it isn't.
② Yes, you can.
③ I like going to the museum.
④ I don't know anything.

20 M: Can you pass me the water?
W: ① Try some chocolate.
② I don't drink water.
③ Me, too.
④ Sure. Here you are.

해석

13 G: 너 행복해 보인다.
B: 왜냐하면 오늘이 내 생일이야.

14 G: 테니스 치자.
B: 나는 테니스 못 쳐, 하지만 배드민턴은 칠 수 있어.
G: 오, 그러면 배드민턴 치자.

15 W: 실례합니다. 박물관 가는 길을 알려주시겠어요?
M: 곧장 가서 모퉁이에서 오른쪽으로 가세요.
W: 감사합니다.

16 ① W: 내 생일 파티에 올 수 있니?
M: 물론이야.
② W: 몇 시야?
M: 3시야.
③ W: 버스정류장이 어디에요?
M: 빵집 옆이에요.
④ W: 좋아하는 계절이 뭐야?
M: 난 겨울이 좋아.

17 G: 저 남자는 누구야?
① B: 내 형이야.
② B: 존의 아버지야.
③ B: 그는 책을 읽고 있어.
④ B: 내 수학 선생님이야.

18 M: 너는 개가 있니?
① W: 응, 있어.
② W: 아니, 없어.
③ W: 아니, 하지만 고양이는 있어.
④ W: 나는 개를 좋아해.

19 G: 아빠 말할 게 있어요.
M: 뭔데?
G: 친구들과 박물관에 가도 되나요?
M: ① 아니, 그것은 아니야.
② 응, 가도 돼.
③ 나는 박물관 가는 것을 좋아해.
④ 나는 아무것도 모르겠어.

20 M: 물 좀 건네줄 수 있어?
W: ① 초콜릿을 먹어 봐.
② 난 물을 마시지 않아.
③ 나도 그래.
④ 물론. 여기 있어.

7회 영어 듣기 모의고사

본책 p. 92

1 ②	2 ④	3 ③	4 ④	5 ④	6 ③	7 ①	8 ④	9 ④	10 ④
11 ②	12 ①	13 ①	14 ④	15 ②	16 ②	17 ②	18 ④	19 ④	20 ③

듣기 대본

본책 p. 96

1 ① W: garden
② W: kingdom
③ W: girl
④ W: glass

2 M: window

3 ① W: power
② W: grow
③ W: flower
④ W: fruit

4 ① M: Tuesday
② M: Sunday
③ M: Wednesday
④ M: winter

5 W: future

6 M: How much is it?

7 W: Today is Monday.

8 ① W: Don't run, please.
② W: Don't eat here, please.
③ W: Don't touch, please.
④ W: Don't take pictures here, please.

9 ① M: There is a cat under the table.
② M: There are dogs on the table.
③ M: There are cats on the table.
④ M: There is a dog under the table.

10 W: I have a piano lesson on Thursday.

11 B: What's your favorite season?
G: I like summer. How about you?
B: I like spring.

12 B: Where is the toy robot?
W: It is in the box.

해석

1 ① 정원
② 왕국
③ 소녀
④ 유리

2 창문

3 ① 힘
② 자라다
③ 꽃
④ 과일

4 ① 화요일
② 일요일
③ 수요일
④ 겨울

5 장래, 미래

6 M: 이게 얼마예요?

7 W: 오늘은 월요일이다.

8 ① W: 뛰지 마세요.
② W: 여기서 먹지 마세요.
③ W: 만지지 마세요.
④ W: 여기서 사진 찍지 마세요.

9 ① M: 식탁 아래에 고양이가 있다.
② M: 식탁 위에 개들이 있다.
③ M: 식탁 위에 고양이들이 있다.
④ M: 식탁 아래에 개가 있다.

10 W: 나는 목요일에 피아노 수업이 있다.

11 B: 네가 좋아하는 계절은 뭐니?
G: 나는 여름을 좋아해. 너는 어때?
B: 나는 봄을 좋아해.

12 B: 장난감 로봇이 어디에 있어요?
W: 상자 안에 있어.

듣기 대본

13 M: I'm hungry. Let's order fried chicken.
W: Sounds good.

14 W: What do you do on weekends?
M: I visit my grandmother.

15 B: Mom, what are you doing?
W: I'm making dinner. Are you hungry?
B: Yes, I am.

16 ① G: Can I come in?
B: Sure. Come on in.
② G: Is this your bicycle?
B: Yes, I got it for my birthday.
③ G: What are you doing?
B: I'm reading a book.
④ G: Who is this?
B: He is my uncle.

17 ① G: Nice to meet you.
② G: Congratulations!
③ G: That's a good idea.
④ G: I'm sorry, but I can't.

18 M: What do you do in the evening?
① W: I walk my dog.
② W: I do my homework.
③ W: I watch TV.
④ W: I'm great, thanks.

19 W: Jun, what is your favorite season?
M: I like spring.
W: Why do you like spring?
M: ① I like swimming in the sea.
② We can speak Korean.
③ I have music lessons on Monday.
④ I can see many beautiful flowers.

20 W: What's the matter?
M: I have a stomachache.
W: What did you eat?
M: ① I have lunch with my friend.
② I don't eat breakfast.
③ I ate some ice cream.
④ I'm eating cookies.

해석

13 M: 나 배고파. 프라이드치킨 주문하자.
W: 좋아.

14 W: 너는 주말마다 뭐해?
M: 할머니 댁에 가.

15 B: 엄마, 뭐하고 계세요?
W: 저녁을 만들고 있어. 배고프니?
B: 예, 그래요.

16 ① G: 들어가도 되니?
B: 물론이지. 들어와.
② G: 이 자전거 네 거니?
B: 응, 생일 선물로 받았어.
③ G: 너 뭐하고 있어?
B: 나는 책을 읽고 있어.
④ G: 이분은 누구야?
B: 내 삼촌이야.

17 ① G: 만나서 반가워.
② G: 축하해.
③ G: 좋은 생각이야.
④ G: 미안한데 할 수 없어.

18 M: 너는 저녁에 뭐해?
① W: 나는 개랑 산책해.
② W: 나는 숙제를 해.
③ W: 나는 TV를 봐.
④ W: 좋아, 고마워.

19 W: 준, 네가 좋아하는 계절이 뭐야?
M: 나는 봄을 좋아해.
W: 왜 봄을 좋아해?
M: ① 나는 바다에서 수영하는 것을 좋아해.
② 우리는 한국어를 할 수 있어.
③ 나는 월요일에 음악 수업이 있어.
④ 나는 많은 꽃을 볼 수 있어.

20 W: 무슨 일이야?
M: 배가 아파.
W: 무엇을 먹었어?
M: ① 나는 친구와 점심을 먹어.
② 나는 아침은 안 먹어.
③ 나는 아이스크림을 좀 먹었어.
④ 나는 과자를 먹고 있어.

8회 영어 듣기 모의고사

본책 p. 106

1 ①	2 ②	3 ③	4 ③	5 ③	6 ②	7 ④	8 ④	9 ①	10 ③
11 ①	12 ②	13 ③	14 ②	15 ③	16 ①	17 ③	18 ②	19 ①	20 ④

듣기 대본

본책 p. 110

1 ① W: yellow
② W: giant
③ W: giraffe
④ W: gym

2 M: tomorrow

3 ① W: phone
② W: picture
③ W: photo
④ W: potato

4 ① M: soap
② M: shampoo
③ M: cellphone
④ M: toothpaste

5 W: firefighter

6 M: What day is it today?

7 B: I'm washing the dishes now.

8 ① W: Happy Christmas!
② W: What time is it?
③ W: I lost my pencil.
④ W: How much is this dress?

9 ① M: He is listening to music.
② M: He is watching TV.
③ M: He is playing basketball.
④ M: He is going to school.

10 W: There are five books on the desk.

11 W: How's the weather today?
M: It's sunny.

12 G: What do you want to be in the future?
B: I want to be a pilot.

해석

1 ① 노란
② 커다란
③ 기린
④ 체육관

2 내일

3 ① 전화기
② 그림
③ 사진
④ 감자

4 ① 비누
② 샴푸
③ 휴대전화
④ 치약

5 소방관

6 M: 오늘 무슨 요일이에요?

7 B: 나는 지금 설거지를 하고 있다.

8 ① W: 즐거운 크리스마스!
② W: 몇 시예요?
③ W: 내 연필을 잃어버렸어요.
④ W: 이 원피스 얼마예요?

9 ① M: 그는 음악을 듣고 있다.
② M: 그는 TV를 보고 있다.
③ M: 그는 농구를 하고 있다.
④ M: 그는 학교에 가고 있다.

10 W: 책상 위에 책이 다섯 권 있다.

11 W: 오늘 날씨 어때?
M: 맑아.

12 G: 너는 장래에 무엇을 하고 싶어?
B: 나는 비행기 조종사가 되고 싶어.

듣기 대본

13 B: Why are you angry?
G: I had a fight with my sister.

14 G: When is your birthday?
B: My birthday is next Friday.

15 W: May I help you?
B: I want to buy some flowers?
W: What kind of flowers do you want?
B: I want some red roses.

16 ① W: Excuse me. Where is the bus stop?
M: Go straight one block.
② W: Can I use your pencil?
M: Sure. Here you are.
③ W: What's the date today?
M: It's October 10.
④ W: How are you doing?
M: I'm good, thank you.

17 W: Let's go to the park together.
① M: I'd like to, but I can't.
② M: Okay.
③ M: I have to buy some books.
④ M: Sounds good.

18 M: Where is she from?
① W: She is very tall.
② W: She is from England.
③ W: She lives in Seoul.
④ W: She will go to China.

19 W: Do you have any brothers or sisters?
M: Yes, I have a sister. How about you?
W: ① I have two brothers.
② I have some books.
③ I have an English class.
④ I have to do my homework.

20 W: Where are you going?
M: I'm going to the dentist.
W: Why?
M: ① It's Thursday.
② I like Korean food.
③ I like soccer.
④ I have a toothache.

해석

13 B: 왜 화가 났니?
G: 언니와 싸웠어.

14 G: 생일이 언제야?
B: 다음 주 금요일이야.

15 W: 도와드릴까요?
B: 꽃을 좀 사고 싶어요.
W: 무슨 종류의 꽃을 원해요?
B: 빨간 장미를 좀 사고 싶어요.

16 ① W: 실례합니다. 버스정류장이 어디죠?
M: 한 블록 죽 가세요.
② W: 네 연필을 사용해도 되니?
M: 그럼. 여기 있어.
③ W: 오늘 며칠이니?
M: 10월 10일이야.
④ W: 잘 지내?
M: 좋아, 고마워.

17 W: 공원에 같이 가자.
① M: 미안한데 갈 수 없어.
② M: 좋아.
③ M: 나는 책을 좀 사야 해.
④ M: 좋은 생각이야.

18 M: 그녀는 어디에서 왔니?
① W: 그녀는 키가 무척 커.
② W: 그녀는 영국에서 왔어.
③ W: 그녀는 서울에서 살아.
④ W: 그녀는 중국에 갈 거야.

19 W: 너는 형제나 자매가 있니?
M: 응, 나는 누나가 있어. 너는 어때?
W: ① 나는 오빠가 두 명 있어.
② 나는 책이 좀 있어.
③ 나는 영어 수업이 있어.
④ 나는 숙제를 해야 해.

20 W: 어디 가니?
M: 치과에 가.
W: 왜?
M: ① 오늘은 목요일이야.
② 나는 한국 음식을 좋아해.
③ 나는 축구를 좋아해.
④ 나는 치통이 있어.

9회 영어 듣기 모의고사

본책 p. 120

1 ④	2 ①	3 ①	4 ③	5 ②	6 ②	7 ④	8 ③	9 ④	10 ②
11 ③	12 ④	13 ②	14 ②	15 ④	16 ③	17 ②	18 ③	19 ①	20 ①

듣기 대본

본책 p. 124

1 ① W: queen
② W: quiet
③ W: quiz
④ W: gift

2 M: shoulder

3 ① W: weekend
② W: week
③ W: seek
④ W: second

4 ① M: hospital
② M: school
③ M: sugar
④ M: bakery

5 W: younger sister

6 M: What does he do?

7 W: My cat is on the sofa.

8 ① B: I got up late.
② B: I had a car accident.
③ B: I missed the school bus.
④ B: I lost my bag.

9 ① W: The woman is drinking water.
② W: The woman is swimming in the sea.
③ W: The woman is wearing glasses.
④ W: The woman is walking along the beach.

10 M: This is an animal. This is long and has no legs.

11 M: What do you want to eat for lunch?
W: I want to have noodles.

12 G: What is your favorite subject?
B: My favorite subject is music. I love singing.

해석

1 ① 여왕
② 조용한
③ 퀴즈
④ 선물

2 어깨

3 ① 주말
② 주
③ 찾다
④ 두 번째

4 ① 병원
② 학교
③ 설탕
④ 빵집

5 여동생

6 M: 그는 무슨 일을 해?

7 W: 내 고양이는 소파 위에 있다.

8 ① B: 나는 늦게 일어났어.
② B: 나는 교통사고가 났어.
③ B: 나는 스쿨버스를 놓쳤어.
④ B: 나는 가방을 잃어버렸어

9 ① W: 여자가 물을 마시고 있다.
② W: 여자가 바다에서 수영하고 있다.
③ W: 여자가 안경을 쓰고 있다.
④ W: 여자가 해변을 따라 걷고 있다.

10 M: 이것은 동물이다. 이것은 길고, 다리가 없다.

11 M: 점심식사로 무엇을 먹고 싶니?
W: 나는 국수가 먹고 싶어.

12 G: 네가 가장 좋아하는 과목이 뭐야?
B: 내가 좋아하는 과목은 음악이야.
나는 노래하는 것을 아주 좋아해.

듣기 대본

13 B: You look sad. What's the matter?
G: I lost my bike.

14 G: What are you going to do this weekend?
B: I'm going to stay home and read books.

15 W: How is the food?
M: The food here is great.
I want to visit this restaurant again.

16 ① W: When does the museum open?
M: It opens at 9 o'clock.
② W: When do you take a walk?
M: I usually take a walk after dinner.
③ W: When is your birthday?
M: It's September 20.
④ W: Where is your sister?
M: Over there.

17 M: What's the weather like today?
① W: It's far from here.
② W: It's cloudy.
③ W: It's 7 o'clock.
④ W: It's Tuesday.

18 W: Where do you live?
① M: I want to visit Korea.
② M: I don't have a computer.
③ M: I live in Incheon.
④ M: He is a high school student.

19 W: What are you looking for?
M: I'm looking for my bag. Did you see it?
W: ① Yes, it's on the sofa.
② Your pen is on the desk.
③ I have a brown bag.
④ I found my bag.

20 G: What are you going to do after school?
B: I will go to the post office.
G: Where is the post office?
B: ① It's next to the bookstore.
② I will send a post card.
③ I love writing letters.
④ He lives far from here.

해석

13 B: 너 슬퍼 보여. 무슨 일이야?
G: 자전거를 잃어버렸어.

14 G: 이번 주말에 뭐 할 거니?
B: 집에 있으면서 책을 읽을 거야.

15 W: 음식은 어때?
M: 여기 음식은 맛있어. 다시 이 식당을 방문하고 싶어.

16 ① W: 박물관은 언제 열어?
M: 9시에 열어.
② W: 너는 언제 산책해?
M: 나는 보통 저녁 먹고 산책해.
③ W: 네 생일은 언제야?
M: 9월 20일이야.
④ W: 네 누나 어디 있어?
M: 저기에.

17 M: 오늘 날씨가 어때?
① W: 여기에서 멀어.
② W: 흐려.
③ W: 7시야.
④ W: 화요일이야.

18 W: 너는 어디에 사니?
① M: 나는 한국에 가고 싶어.
② M: 나는 컴퓨터가 없어.
③ M: 나는 인천에 살아.
④ M: 그는 고등학교 학생이야.

19 W: 뭘 찾고 있니?
M: 가방을 찾고 있어. 내 가방 봤니?
W: ① 그래, 그것은 소파 위에 있어.
② 네 펜은 책상 위에 있어.
③ 나는 갈색 가방이 있어.
④ 나는 가방을 찾았어.

20 G: 방과 후에 뭐할 거야?
B: 나는 우체국에 갈 거야.
G: 우체국이 어디에 있는데?
B: ① 서점 옆에 있어.
② 나는 엽서를 보낼 거야.
③ 나는 편지 쓰는 것을 아주 좋아해.
④ 그는 여기서 멀리 살아.

10회 영어 듣기 모의고사

본책 p. 134

1 ③	2 ②	3 ②	4 ④	5 ①	6 ③	7 ①	8 ①	9 ②	10 ①
11 ③	12 ①	13 ④	14 ①	15 ①	16 ②	17 ③	18 ④	19 ②	20 ④

듣기 대본

본책 p. 138

1 ① W: yawn
② W: yell
③ W: circus
④ W: yellow

2 M: dream

3 ① W: blow
② W: brown
③ W: break
④ W: glue

4 ① M: south
② M: north
③ M: east
④ M: turn

5 W: subject

6 M: How old are you?

7 W: She is wearing a red dress.

8 ① B: I'm looking for my English book.
② B: I'm looking for my bag.
③ B: I'm looking for my umbrella.
④ B: I'm looking for my shoes.

9 ① M: Amy can play the guitar.
② M: Amy can play the piano.
③ M: Amy can dive off a high place.
④ M: Amy can swim in the river.

10 W: This is a large round fruit. This has a green skin with black stripes. This is sweet and juicy.

11 M: I watched a baseball game on TV yesterday.

12 G: When is your birthday?
B: It's on Saturday, March 5.

해석

1 ① 하품하다
② 소리 지르다
③ 서커스
④ 노란색

2 꿈

3 ① 불다
② 갈색
③ 깨다
④ 풀

4 ① 남쪽
② 북쪽
③ 동쪽
④ 돌다

5 과목

6 M: 몇 살이에요?

7 W: 그녀는 빨간 원피스를 입고 있다.

8 ① B: 나는 영어책을 찾고 있어요.
② B: 나는 가방을 찾고 있어요.
③ B: 나는 우산을 찾고 있어요.
④ B: 나는 신발을 찾고 있어요.

9 ① M: 에이미는 기타를 칠 수 있다.
② M: 에이미는 피아노를 칠 수 있다.
③ M: 에이미는 높은 곳에서 다이빙할 수 있다.
④ M: 에이미는 강에서 수영할 수 있다.

10 W: 이것은 큰 둥근 과일이다. 이것은 검정색 줄무늬가 있는 초록색 껍질이 있다. 이것은 달콤하고 즙이 많다.

11 M: 나는 어제 TV에서 야구 경기를 봤어.

12 G: 너 생일이 언제야?
B: 3월 5일 토요일이야.

듣기 대본

13 B: What's wrong?
G: I have a headache.

14 G: What did you do yesterday?
B: I went to the zoo with my parents.

15 W: Excuse me, where is the bank?
M: Go straight. It's on your right.

16 ① B: Where does he live?
G: He lives in England.
② B: Where are you from?
G: I'm from France.
③ B: Where is your coat?
G: It's on the sofa.
④ B: Who is she?
G: She is my cousin.

17 M: Nice to meet you.
① W: It's on the table.
② W: Thank you very much.
③ W: Nice to meet you, too.
④ W: Yes, I can do it.

18 W: How are you doing?
① M: I'm good.
② M: Not bad.
③ M: I'm great.
④ M: I'm happy to see you.

19 W: I'm so tired.
M: What did you do yesterday?
W: ① I want to eat some ice cream.
② I studied math until midnight.
③ I love chocolate.
④ I'm playing the piano.

20 G: Let's go out for a walk.
B: It's raining.
G: Oh, no! What do you want to do?
B: ① Let's play soccer after school.
② It's cold outside.
③ Yes, I want to go there.
④ Let's just watch a movie on TV.

해석

13 B: 무슨 일이야?
G: 나는 두통이 있어.

14 G: 어제 무엇을 했니?
B: 나는 부모님과 동물원에 갔어.

15 W: 실례합니다만 은행이 어디 있나요?
M: 죽 가세요. 오른쪽에 있어요.

16 ① B: 그는 어디에서 사니?
G: 그는 영국에서 살아.
② B: 너는 어느 나라에서 왔니?
G: 나는 프랑스에서 왔어.
③ B: 너 코트 어디 있니?
G: 소파 위에 있어.
④ B: 그녀는 누구니?
G: 그녀는 나의 사촌이야.

17 M: 만나서 반가워.
① W: 식탁 위에 있어.
② W: 무척 감사합니다.
③ W: 나도 만나서 반가워.
④ W: 응, 할 수 있어.

18 W: 잘 지내니?
① M: 잘 지내.
② M: 나쁘지 않아.
③ M: 좋아.
④ M: 너를 보니 행복해.

19 W: 나 무척 피곤해.
M: 어제 뭐했어?
W: ① 나는 아이스크림이 먹고 싶어.
② 나 밤늦게까지 수학 공부했어.
③ 나는 초콜릿을 무척 좋아해.
④ 나는 피아노를 치고 있어.

20 G: 산책하러 나가자.
B: 비가 오고 있어.
G: 오, 이런, 너 뭐 하고 싶어?
B: ① 방과 후에 축구하자.
② 밖은 추워.
③ 응, 나는 거기 가고 싶어.
④ TV로 영화나 보자.

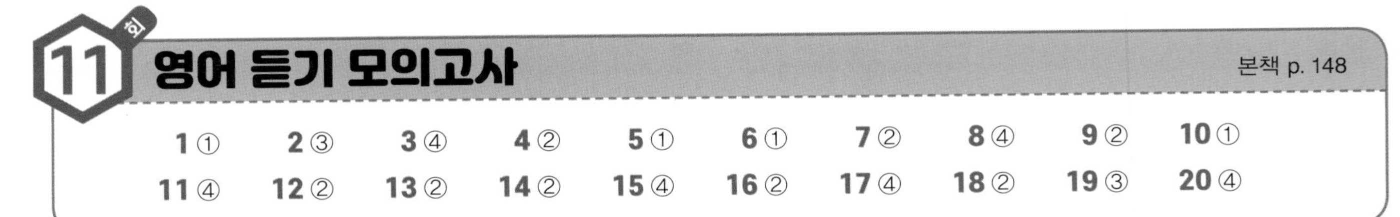

11회 영어 듣기 모의고사

본책 p. 148

1 ①	2 ③	3 ④	4 ②	5 ①	6 ①	7 ②	8 ④	9 ②	10 ①
11 ④	12 ②	13 ②	14 ②	15 ④	16 ②	17 ④	18 ②	19 ③	20 ④

듣기 대본

본책 p. 152

1 W: balloon

2 ① M: give
② M: grow
③ M: gift
④ M: soft

3 ① W: skirt
② W: blue jeans
③ W: shorts
④ W: lemon

4 M: Where are you from?

5 W: Look over there! There are many oranges in the box.

6 ① B: There are four people in my family.
② B: There are three people in my family.
③ B: There are five people in my family.
④ B: There are two people in my family.

7 ① W: She is taking care of a boy.
② W: She is taking care of a dog.
③ W: She is making dinner for her family.
④ W: She is making a cake.

8 B: My sister is wearing blue jeans and a white shirt.

9 W: It's raining now. I need a raincoat.

10 G: Can you skate?
B: No, I can't, but I can ski.

11 B: How are you feeling today?
G: I'm not good. I have a cold.

12 W: What day was it yesterday?
M: It was Friday.

해석

1 풍선

2 ① 주다
② 자라다
③ 선물
④ 부드러운

3 ① 치마
② 청바지
③ 반바지
④ 레몬

4 M: 너는 어느 나라에서 왔니?

5 W: 저쪽을 봐! 상자에 오렌지가 많아.

6 ① B: 저의 가족은 네 명이에요.
② B: 저의 가족은 세 명이에요.
③ B: 저의 가족은 다섯 명이에요.
④ B: 저의 가족은 두 명이에요.

7 ① W: 그녀는 소년을 돌보고 있다.
② W: 그녀는 개를 돌보고 있다.
③ W: 그녀는 가족을 위해 저녁을 만들고 있다.
④ W: 그녀는 케이크를 만들고 있다.

8 B: 나의 누나는 청바지에 하얀 셔츠를 입고 있다.

9 W: 지금 비가 오고 있어. 나는 우비가 필요해.

10 G: 너 스케이트 탈 줄 아니?
B: 아니, 못 타, 하지만 난 스키를 탈 수 있어.

11 B: 오늘 기분 어떠니?
G: 안 좋아. 감기에 걸렸어.

12 W: 어제 무슨 요일이었어?
M: 금요일이었어.

듣기 대본

13 G: Who are you going to meet tomorrow?
B: I'm going to meet my uncle.

14 B: I'm tired.
G: What did you do last night?
B: I watched TV until late at night.

15 G: Look over there! There are tigers.
B: Wow, they are very big. I want to see bears, too.

16 ① G: Are you okay?
B: I think I have a cold.
② G: Happy birthday!
B: Thank you.
③ G: Are you hungry?
B: Yes, I am.
④ G: Let's go swimming.
B: That's a good idea.

17 ① M: They are watching TV.
② M: They are cooking food on a campfire.
③ M: They are sleeping on the bed.
④ M: They are sitting around the campfire.

18 M: Would you close the window?
① W: Sorry, I can't ski.
② W: No problem.
③ W: I can open the window.
④ W: Thank you.

19 W: Can you go to the K-pop concert with me?
M: When is the concert?
W: ① I'm busy on Friday.
② I go swimming on Sundays.
③ It's May 15.
④ See you on Monday.

20 W: Is your sister in the classroom?
M: Yes, she is.
W: What does she look like?
M: ① Yes, she is.
② She is in the classroom.
③ She loves cooking.
④ She is tall and wears glasses.

해석

13 G: 내일 누구를 만날 거야?
B: 삼촌을 만날 거야.

14 B: 나 피곤해.
G: 지난밤에 뭐했는데?
B: 밤에 늦게까지 TV를 봤어.

15 G: 저쪽을 봐! 호랑이들이야.
B: 와우, 무척 크다. 난 곰도 보고 싶어.

16 ① G: 괜찮니?
B: 나 감기 걸린 거 같아.
② G: 생일 축하해!
B: 고마워.
③ G: 배고프니?
B: 응, 그래.
④ G: 수영하러 가자.
B: 좋은 생각이야.

17 ① M: 그들은 TV를 보고 있다.
② M: 그들은 모닥불에 음식을 만들고 있다.
③ M: 그들은 침대에서 잠을 자고 있다.
④ M: 그들은 모닥불 주위에 앉아 있다.

18 M: 창문 좀 닫아 주시겠어요?
① W: 미안한데 스키를 타지 못해요.
② W: 물론이죠.
③ W: 나는 창문을 열 수 있어요.
④ W: 고마워요.

19 W: 나와 K팝 콘서트 갈 수 있니?
M: 콘서트가 언젠데?
W: ① 나는 금요일 바빠.
② 난 일요일마다 수영하러 가.
③ 5월 15일이야.
④ 월요일에 보자.

20 W: 교실에 네 여동생이 있니?
M: 그래 있어.
W: 어떻게 생겼어?
M: ① 응, 맞아.
② 그녀는 교실에 있어.
③ 그녀는 요리하는 것을 좋아해.
④ 그녀는 키가 크고 안경을 쓰고 있어.

12회 영어 듣기 모의고사

본책 p. 162

1 ④	2 ②	3 ③	4 ②	5 ①	6 ④	7 ③	8 ④	9 ③	10 ③
11 ④	12 ①	13 ②	14 ②	15 ②	16 ②	17 ③	18 ②	19 ④	20 ③

듣기 대본

본책 p. 166

1 W: parents

2 ① M: player
② M: fruit
③ M: people
④ M: foot

3 ① W: nurse
② W: writer
③ W: plane
④ W: chef

4 M: Let me introduce myself.

5 W: A boy is riding a bicycle.

6 ① W: What are you looking for?
② W: It is sunny outside.
③ W: I'm very hungry.
④ W: Help yourself.

7 ① M: There are two sheep on the field.
② M: There are two cats on the sofa.
③ M: There are two cows on the field.
④ M: There are two horses on the field.

8 W: My younger sister is six years old.
She likes drawing flowers.

9 W: May I help you?
M: I'm looking for a birthday cake for my friend.
W: How about this cheesecake?

10 G: How was the weather yesterday?
B: It was cold and windy.

11 B: I watched a soccer game yesterday.
G: How was it?
B: It was very exciting.

12 W: Andy, do you like pasta?
M: No, I don't, but I like pizza.

해석

1 부모

2 ① 선수
② 과일
③ 사람들
④ 발

3 ① 간호사
② 작가
③ 비행기
④ 주방장

4 M: 내 소개를 할게요.

5 W: 한 소년이 자전거를 타고 있다.

6 ① W: 무엇을 찾고 있니?
② W: 밖이 맑아.
③ W: 나는 무척 배가 고파.
④ W: 맛있게 먹어.

7 ① M: 들판에 양 두 마리가 있다.
② M: 소파에 고양이가 두 마리 있다.
③ M: 들판에 소 두 마리가 있다.
④ M: 들판에 말 두 마리가 있다.

8 W: 내 여동생은 6살이다. 그녀는 꽃 그리는 것을 좋아한다.

9 W: 도와드릴까요?
M: 친구에게 줄 생일 케이크를 찾고 있어요.
W: 이 치즈케이크는 어때요?

10 G: 어제 날씨가 어땠어?
B: 춥고 바람 불었어.

11 B: 나 어제 축구경기 봤어.
G: 어땠니?
B: 매우 흥미진진했어.

12 W: 앤디, 너 파스타 좋아하니?
M: 아니, 하지만 피자를 좋아해.

듣기 대본

13 G: My favorite season is winter. How about you?
B: I like summer. I love swimming in the river.

14 B: What are you going to do tomorrow?
G: I'm going to have a surprise birthday party for my mom.

15 B: Jane, what do you want to be in the future?
G: I want to be a nurse. I will take care of sick people.

16 ① B: This is for you.
W: Thank you.
② B: How long can I borrow this book?
W: You can borrow it for 10 days.
③ B: How old is he?
W: He is 30 years old.
④ B: Can I eat some pasta?
W: Sure.

17 M: Sandy, let's go swimming.
W: Sorry, I can't swim.
① M: Then, how about playing soccer?
② M: Then, let's play computer games.
③ M: Okay. I love swimming.
④ M: Then, what do you want to do?

18 M: You look bad today. Are you okay?
① W: How are you?
② W: I think I have a cold.
③ W: No, that's okay.
④ W: I can help you.

19 M: Look over there! They are many flowers in the garden.
W: Oh, they are beautiful. What kind of flower do you like?
M: ① She likes tulips.
② I don't like flowers.
③ My favorite animal is a rabbit.
④ I like roses the most.

20 W: Can I help you?
M: I'm looking for a bag.
W: How about this one?
M: ① It's 10 dollars.
② I have 10 bags.
③ It looks good. I'll take it.
④ No, it's not my bag.

해석

13 G: 내가 좋아하는 계절은 겨울이야. 너는?
B: 나는 여름을 좋아해. 난 강에서 수영하는 것을 좋아해.

14 B: 너 내일 뭐할 거야?
G: 나는 엄마를 위해 깜짝 파티를 열 거야.

15 B: 제인, 너는 장래에 뭐가 되고 싶니?
G: 나는 간호사가 되고 싶어. 나는 아픈 사람들을 돌볼 거야.

16 ① B: 당신한테 주는 거예요.
W: 고마워.
② B: 이 책을 얼마 동안 빌릴 수 있죠?
W: 10일 동안 빌릴 수 있어요.
③ B: 그는 몇 살이에요?
W: 그는 30살이야.
④ B: 내가 파스타를 먹어도 되나요?
W: 물론이야.

17 M: 샌디야, 수영하러 가자.
W: 미안, 나 수영 못 해.
① M: 그럼, 축구하는 건 어때?
② M: 그럼, 컴퓨터 게임하자.
③ M: 좋아. 난 수영하는 걸 좋아해.
④ M: 그럼, 무엇을 하고 싶어?

18 M: 너 오늘 안 좋아 보인다. 괜찮니?
① W: 잘 지내니?
② W: 나 감기 걸린 거 같아.
③ W: 아니, 괜찮아.
④ W: 내가 도와줄 수 있어.

19 M: 저기 봐! 정원에 꽃이 많이 있어.
W: 오, 아름답구나. 너는 무슨 꽃을 좋아하니?
M: ① 그녀는 튤립을 좋아해.
② 나는 꽃을 좋아하지 않아.
③ 내가 좋아하는 동물은 토끼야.
④ 나는 장미를 가장 좋아해.

20 W: 도와드릴까요?
M: 가방을 찾고 있어요.
W: 이 가방은 어때요?
M: ① 그것은 10달러예요.
② 나는 가방이 10개 있어요.
③ 좋아 보여요. 그걸로 살게요.
④ 아니오, 그것은 내 가방이 아니에요.

13회 영어 듣기 모의고사

본책 p. 176

1 ①	2 ④	3 ②	4 ②	5 ④	6 ①	7 ④	8 ①	9 ②	10 ②
11 ③	12 ②	13 ④	14 ④	15 ④	16 ②	17 ④	18 ①	19 ②	20 ①

듣기 대본

본책 p. 180

1 W: breakfast

2 ① M: cheese
② M: chair
③ M: child
④ M: church

3 ① W: classroom
② W: subway
③ W: teacher
④ W: classmate

4 M: Good night!

5 W: It's time to study English.

6 ① M: Are you ready to order?
② M: I'll have the cream pasta, please.
③ M: I'm very hungry.
④ M: I want to eat a hamburger.

7 ① W: The woman is listening to music.
② W: The woman is singing.
③ W: The man is talking to the woman.
④ W: The woman is covering her ears with her hands.

8 B: The woman in front of the Eiffel Tower is my mom.

9 ① W: That's a good idea.
② W: See you later.
③ W: You're welcome.
④ W: Congratulations!

10 G: What time is it now?
B: It is three ten.

11 B: You look angry. What's wrong?
G: Someone stole my computer last night.

12 G: What do you do after school?
B: I usually ride a bicycle.

해석

1 아침(식사)

2 ① 치즈
② 의자
③ 아이
④ 교회

3 ① 교실
② 지하철
③ 선생님
④ 반 친구

4 M: 잘 자!

5 W: 이제 영어 공부할 시간이다.

6 ① M: 주문하시겠어요?
② M: 크림 파스타 주세요.
③ M: 나는 무척 배가 고파.
④ M: 나는 햄버거가 먹고 싶어.

7 ① W: 여자가 음악을 듣고 있다.
② W: 여자가 노래하고 있다.
③ W: 남자가 여자에게 말하고 있다.
④ W: 여자가 손으로 귀를 막고 있다.

8 B: 에펠탑 앞에 있는 여자가 나의 엄마야.

9 ① W: 좋은 생각이야.
② W: 다음에 봐.
③ W: 천만에.
④ W: 축하해!

10 G: 지금 몇 시야?
B: 3시 10분이야.

11 B: 너 화가 나 보인다. 무슨 일이니?
G: 누가 지난밤에 내 컴퓨터를 훔쳐갔어.

12 G: 너는 방과 후에 뭐해?
B: 보통 자전거를 타.

듣기 대본

13 M: Who is that? Is he your brother?
W: No, he is my cousin. He's from Korea.

14 W: Sam, where are you?
B: I'm in the bathroom. I'm washing my hands.

15 G: Let's jump into the pool.
B: Wait! Look at that sign. We have to warm up before swimming.

16 ① B: Let's go outside and play.
G: I'd like to, but I can't.
② B: Can I use your computer?
G: Sure. Go ahead.
③ B: Would you close the window?
G: Sure.
④ B: I'm very hungry.
G: Me, too.

17 W: What did you do yesterday?
① M: I watched a movie.
② M: I played baseball.
③ M: I went to the zoo.
④ M: I'm going to the museum.

18 W: John, it's time to go to bed.
B: What time is it now?
① W: It's already 10 p.m.
② W: It's time to go to school.
③ W: It's 7 a.m.
④ W: It's time to eat breakfast.

19 W: Can I help you?
M: Yes, please. How can I get to the nearest hospital?
W: ① The bus is coming.
② Go straight and turn left.
③ I have to go to the hospital.
④ Let's meet in front of the hospital.

20 G: Where is your school?
B: It's not far from here.
G: How do you go to school?
B: ① I ride a bike to school.
② I will take an airplane.
③ She always takes the subway.
④ She came here by train.

해석

13 M: 저 사람은 누구야? 네 오빠야?
W: 아니, 그는 내 사촌이야. 한국에서 왔어.

14 W: 샘, 어디에 있니?
B: 욕실에 있어요. 손을 씻고 있어요.

15 G: 수영장으로 뛰어 들자.
B: 잠깐! 저기 표지판을 봐.
수영하기 전에 준비운동을 해야 해.

16 ① B: 밖에 나가서 놀자.
G: 그러고 싶지만 놀 수 없어.
② B: 네 컴퓨터 써도 되니?
G: 물론. 어서 써.
③ B: 창문을 닫아줄래요?
G: 물론이죠.
④ B: 나 무척 배고파.
G: 나도 그래.

17 W: 어제 뭐했어?
① M: 나 영화 봤어.
② M: 나 야구했어.
③ M: 나는 동물원에 갔어.
④ M: 나는 박물관에 가고 있어.

18 W: 존, 자러 갈 시간이야.
B: 몇 시인데요?
① W: 벌써 저녁 10시야.
② W: 학교 갈 시간이야.
③ W: 오전 7시야.
④ W: 아침 먹을 시간이야.

19 W: 도와드릴까요?
M: 예. 가장 가까운 병원에 어떻게 가죠?
W: ① 버스가 오고 있어요.
② 죽 가서 왼쪽으로 도세요.
③ 저는 병원에 가야 해요.
④ 병원 앞에서 만나자.

20 G: 네 학교는 어디야?
B: 여기서 멀지 않아.
G: 학교에 어떻게 가?
B: ① 자전거를 타고 가.
② 나는 비행기를 탈 거야.
③ 그녀는 항상 지하철을 타.
④ 그녀는 기차로 여기에 왔어.

영어 듣기 모의고사

본책 p. 190

1 ④	2 ③	3 ③	4 ①	5 ②	6 ②	7 ①	8 ①	9 ④	10 ②
11 ②	12 ④	13 ②	14 ④	15 ③	16 ①	17 ②	18 ②	19 ④	20 ①

듣기 대본

본책 p. 194

1 W: subway

2 ① M: breakfast
② M: break
③ M: birthday
④ M: bicycle

3 ① W: morning
② W: afternoon
③ W: uncle
④ W: evening

4 M: That's very kind of you.

5 W: Look at those clouds in the sky.

6 ① M: Could you open the window?
② M: Could you close the window?
③ M: Could you open the door?
④ M: Could you close the door?

7 ① W: The man is wearing a suit.
② W: The man is wearing glasses.
③ W: The man is sitting on the sofa.
④ W: The man is watching TV.

8 W: What a beautiful dress!

9 M: There are three red birds and five blue birds.

10 W: Who is your sister?
M: She is wearing shorts.

11 G: You look sad. What's up?
B: My best friend moved to Busan.

12 W: Are you eating a peach?
M: No, I'm eating a banana.

해석

1 지하철

2 ① 아침(식사)
② 깨뜨리다
③ 생일
④ 자전거

3 ① 아침
② 오후
③ 삼촌
④ 저녁

4 M: 당신 무척 친절하시군요.

5 W: 하늘에 있는 구름을 봐.

6 ① M: 창문 좀 열어주시겠어요?
② M: 창문 좀 닫아주시겠어요?
③ M: 문 좀 열어주시겠어요?
④ M: 문 좀 닫아주시겠어요?

7 ① W: 남자가 정장을 입고 있다.
② W: 남자가 안경을 쓰고 있다.
③ W: 남자가 소파에 앉아 있다.
④ W: 남자가 TV를 보고 있다.

8 W: 정말 아름다운 원피스구나!

9 M: 빨간 새 세 마리와 파란 새 다섯 마리가 있다.

10 W: 너의 여동생이 누구니?
M: 반바지를 입고 있어.

11 G: 너 슬퍼 보인다. 무슨 일이야?
B: 내 가장 친한 친구가 부산으로 이사 갔어.

12 W: 너 복숭아 먹고 있니?
M: 아니, 바나나 먹고 있어.

듣기 대본

13 M: Where are you going?
W: I'm going to the market.
M: Why?
W: I need some vegetables.

14 G: Did you have a good weekend?
B: Yes, I went to the aquarium.

15 W: Do you have any hobbies?
M: Yes, I like playing the piano. How about you?
W: I like cooking.

16 ① M: How can I get to the bank?
W: Go straight.
② M: Could you close the window?
W: Okay.
③ M: How do you go to work?
W: I ride a bike to work.
④ M: Where does he live?
W: He lives in Seoul.

17 W: Sam, have a nice day!
① M: It's sunny today.
② M: Thanks. You, too.
③ M: Long time no see.
④ M: Nice to meet you.

18 W: You look sick today. What's the matter?
M: I think I have a cold.
① W: You look happy.
② W: You had better go to the doctor.
③ W: What a nice day!
④ W: It's time to go to school.

19 W: Hi, Mike.
M: Hi, Sandy. How are you doing?
W: ① Today is Thursday.
② It is sunny these days.
③ I will visit my grandparents.
④ Great. How are you doing?

20 M: I want to borrow these books.
W: Do you have a library card?
M: ① Yes. Here you are.
② I will borrow two books.
③ Yes, I have a credit card.
④ I'm going to the library.

해석

13 M: 어디 가니?
W: 나는 시장에 가고 있어.
M: 왜?
W: 야채가 좀 필요해.

14 G: 주말 잘 보냈니?
B: 응, 수족관에 갔어.

15 W: 너는 취미가 있니?
M: 응, 나는 피아노 치는 것을 좋아해. 너는 어때?
W: 나는 요리하는 것을 좋아해.

16 ① M: 은행에 어떻게 가나요?
W: 쭉 가세요.
② M: 창문 좀 닫아주실래요?
W: 좋아요.
③ M: 직장에 어떻게 가니?
W: 직장에 자전거를 타고 가.
④ M: 그는 어디에 사니?
W: 서울에 살아.

17 W: 샘, 오늘 잘 지내!
① M: 오늘 맑아.
② M: 고마워. 너도.
③ M: 오랜만이야.
④ M: 만나서 반가워.

18 W: 오늘 아파보이는데, 무슨 일이니?
M: 나 감기 걸린 거 같아.
① W: 너 행복해 보인다.
② W: 너 병원에 가는 게 좋겠다.
③ W: 멋진 날이야!
④ W: 학교에 갈 시간이야.

19 W: 안녕, 마이크.
M: 안녕, 샌디. 어떻게 지내?
W: ① 오늘은 목요일이야.
② 요즘 날씨가 맑아.
③ 나는 조부모님 댁에 방문할 거야.
④ 좋아. 너는 어떻게 지내?

20 M: 책을 대출하고 싶어요.
W: 도서관 카드 있나요?
M: ① 예. 여기 있어요.
② 나는 책 두 권을 빌릴 거예요.
③ 예, 나는 신용카드가 있어요.
④ 나는 도서관에 가고 있어요.

15회 영어 듣기 모의고사

본책 p. 204

1 ①	2 ④	3 ④	4 ③	5 ①	6 ②	7 ④	8 ①	9 ④	10 ①
11 ④	12 ①	13 ④	14 ③	15 ③	16 ①	17 ④	18 ③	19 ②	20 ①

듣기 대본

본책 p. 208

1 W: movie

2 ① M: hospital
② M: happy
③ M: baby
④ M: hobby

3 ① W: spring
② W: summer
③ W: winter
④ W: December

4 M: Could you show me the way to the station?

5 W: What a beautiful sunset!

6 ① W: What a beautiful rose!
② W: What time is it now?
③ W: What do you want to eat?
④ W: What day is it today?

7 ① M: He is wearing glasses.
② M: He is wearing a watch.
③ M: He is using a computer.
④ M: He is running outside.

8 W: Look at the flowers. Spring is coming.

9 W: What does your father do?
M: He is a police officer.

10 W: What's the date today?
M: It is November 10.

11 W: What does your brother look like?
M: He has short hair and is wearing glasses.

12 W: What did you do last Sunday?
M: I went fishing with my dad.
W: Do you like fishing?
M: Yes, I do.

해석

1 영화

2 ① 병원
② 행복한
③ 아기
④ 취미

3 ① 봄
② 여름
③ 겨울
④ 12월

4 M: 역에 가는 법을 알려주시겠어요?

5 W: 정말 아름다운 석양이구나!

6 ① W: 정말 아름다운 장미구나!
② W: 지금 몇 시예요?
③ W: 무엇이 먹고 싶어요?
④ W: 오늘 무슨 요일이에요?

7 ① M: 그는 안경을 끼고 있다.
② M: 그는 손목시계를 차고 있다.
③ M: 그는 컴퓨터를 사용하고 있다.
④ M: 그는 밖에서 달리고 있다.

8 W: 꽃들을 봐. 봄이 오고 있어.

9 W: 아버지는 무슨 일을 하시니?
M: 그는 경찰관이야.

10 W: 오늘 며칠이야?
M: 11월 10일이야.

11 W: 네 남동생은 어떻게 생겼어?
M: 그는 머리가 짧고 안경을 쓰고 있어.

12 W: 지난 일요일에 뭐했어?
M: 아버지와 낚시 갔어.
W: 낚시 좋아하니?
M: 응, 그래.

듣기 대본

13 M: What are you looking for?
W: I'm looking for my gloves.
M: Are these yours?
W: Yes, they are. Thank you.

14 G: What do you have in your hand?
B: It's a smartphone.
G: Wow, it looks cool. Where did you get it?
B: My dad bought it for me.

15 W: May I help you?
M: I want to buy some carrots.
W: How many carrots do you want?
M: Five, please.

16 ① G: Are you okay?
B: No, I hurt my leg.
② G: What are you doing?
B: I'm cleaning my room.
③ G: Can you ride a bike?
B: Yes, I can.
④ G: What's your favorite subject?
B: I like music.

17 G: David, you look happy today.
B: Yes. I got an A on the English test.
G: Oh, you did a great job.

18 W: What color do you like?
① M: I like red and blue.
② M: I love purple.
③ M: I have black pants.
④ M: I like sky blue the most.

19 M: You don't look good. What's wrong?
W: I have a toothache.
M: ① You're very lucky.
② That's too bad.
③ It's windy today.
④ That sounds great.

20 W: Can you come to my birthday party?
M: Sure, I'd love to. When is it?
W: ① It's next Sunday.
② It was yesterday.
③ I'm going to buy a doll.
④ I go there by bus.

해석

13 M: 뭘 찾고 있니?
W: 내 장갑을 찾고 있어.
M: 이것이 너의 장갑이니?
W: 응, 맞아. 고마워.

14 G: 손에 가지고 있는 거 뭐야?
B: 스마트폰이야.
G: 와우, 멋지다. 어디서 났어?
B: 아빠가 나에게 사주셨어.

15 W: 도와 드릴까요?
M: 당근을 좀 사고 싶어요.
W: 당근 몇개를 원해요?
M: 다섯 개 주세요.

16 ① G: 괜찮니?
B: 아니, 다리를 다쳤어.
② G: 뭐 하고 있니?
B: 내 방 청소하고 있어.
③ G: 자전거 탈 수 있니?
B: 응, 그래.
④ G: 네가 좋아하는 과목이 뭐야?
B: 나 음악 좋아해.

17 G: 데이비드, 너 오늘 행복해 보여.
B: 응. 나 영어 시험에서 A를 받았어.
G: 오, 정말 잘했다.

18 W: 너는 무슨 색을 좋아해?
① M: 나는 빨간색과 파란색을 좋아해.
② M: 나는 보라색을 아주 좋아해.
③ M: 나는 검은색 바지가 있어.
④ M: 나는 하늘색을 가장 좋아해.

19 M: 너 안 좋아 보여. 무슨 일이야?
W: 나 치통이 있어.
M: ① 너는 운이 좋구나.
② 안됐구나.
③ 오늘 바람이 불어.
④ 멋지다.

20 W: 내 생일 파티에 올 수 있니?
M: 물론, 가고 싶어. 언제야?
W: ① 다음 주 일요일이야.
② 어제였어.
③ 나는 인형을 살 거야.
④ 나는 버스를 타고 거기에 가.

memo

Longman

Listening mentor joy Series